ACADEMI
ARCHARWYR

Dial y Gelyn Gwyrdd

ACADEMI ARCHARWYR

Dial y Gelyn Gwyrdd

Alan MacDonald

Addasiad Mari George

RILY

Academi Archarwyr 1:
Dial y Gelyn Gwyrdd

ISBN 978-1-84967-223-8

Cyhoeddwyd gan Rily Publications Ltd
Blwch Post 20,
Hengoed CF82 7YR

Addasiad gan Mari George
Hawlfraint yr addasiad © Rily Publications Ltd 2015

Hawlfraint y testun gwrieddiol: © Alan MacDonald 2014
Hawlfraint y darluniau: © Nigel Baines 2014

Cyhoeddwyd gyntaf yn Saesneg ym Mhrydain
yn 2014 gan Bloomsbury Publishing Plc,
50 Bedford Square, Llundain WC1B 3DP, o dan y teitl
Superhero School: The Revenge of the Green Meanie

Argraffwyd a rhwymwyd ym Mhrydain
gan CPI Group (UK) Ltd, Croydon, CR0 4YY

Cyhoeddwyd gyda chymorth ariannol
Cyngor Llyfrau Cymru.

www.rily.co.uk

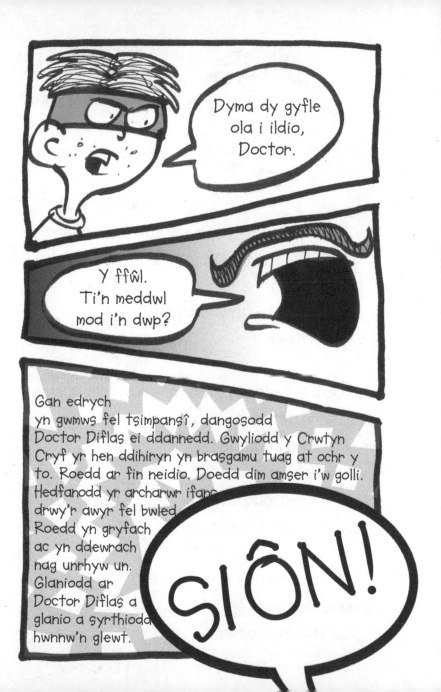

Agorodd y drws ac yno roedd Mrs Botwm. 'Sawl gwaith sy raid dweud? Dim neidio ar y gwely!'

'Ond rhaid i'r Crwtyn Cryf achub y byd rhag Doctor Diflas!' meddai Siôn.

'Wel, dwed wrth y Crwtyn Cryf fod ei swper e'n oeri.'

Ochneidiodd Siôn. Erbyn hyn byddai Doctor Diflas ar fin cyrraedd ei losgfynydd dirgel. Tynnodd Siôn ei fwgwd arwr a'i hongian ar bostyn y gwely. Byddai'n rhaid iddo orffen achub y byd ar ôl swper.

Hanner ffordd i lawr y grisiau stopiodd i grafu ei glust chwith, a oedd yn cosi. Sbrowts i swper, siŵr o fod, meddyliodd.

'Dere, grwt, ni'n llwgu,' meddai
Mr Botwm wrtho.

'Roedd raid i fi ymarfer ymosod,' esboniodd
Siôn. 'Roedd Doctor Diflas yn dianc . . .'

'Wel, os yw e'n ddoctor, mae e siŵr o fod yn
brysur iawn,' meddai Mrs Botwm.

Eisteddodd Siôn a gweld y sbrowts ar ei blât. Roedd y cosi yn ei glust yn gywir bob tro.

Cododd Mr Botwm sglodyn â'i fforc. 'Ti wedi meddwl beth hoffet ti ei wneud os na fyddi di'n archarwr?'

'Fe fydda i'n archarwr,' meddai Siôn heb oedi.

'Ie, ond mae'n syniad da i feddwl am bethau eraill. Rhag ofn,' meddai Mrs Botwm.

'Mae uchelgais yn beth da,' ochneidiodd Mr Botwm. 'Ond gall pawb ddim bod yn archarwr. Wyt ti'n nabod un?'

'Beth am Capten Carlam?' holodd Siôn.

Bob wythnos adroddai'r papur lleol hanes dewrder Capten Carlam. Roedd gan Siôn luniau a phosteri ohono ar hyd ei waliau. Wrth ochr ei wely roedd model plastig o'r archarwr roedd Siôn wedi'i gael mewn pecyn o greision ŷd.

'Yn gwmws,' meddai Mr Botwm.

'Beth ti'n feddwl?' gofynnodd Siôn.

'Wel, mae fe'n gallu hedfan ac mae pwerau hud ganddo. Mae'n anodd dysgu pethau fel'na.'

'Falle dechrau drwy neidio ar y gwely wnaeth e hefyd,' meddai Siôn. 'Nes iddo sylweddoli un diwrnod ei fod e'n gallu hedfan. Dyna pam mae angen i fi ymarfer.'

'Pam?'

'I gael bod yn barod,' meddai Siôn, gan daenu sos coch dros un o'i sglodion. 'Chi byth yn gwbod. Fe allen i gael galwad unrhyw bryd.'

Daeth llythyr drwy'r blwch llythyron a glanio ar y mat.

Aeth Mrs Botwm i'r cyntedd a dychwelyd ag amlen hir lliw arian heb farc post na stamp arni, dim ond enw a chyfeiriad.

'Wel, wel, mae hon i ti, Siôn!' meddai.

'I fi?' Edrychodd Siôn yn syn. Doedd e byth

yn cael llythyron – dim ond pan oedd angen mynd
â llyfr hwyr yn ôl i'r llyfrgell. Ond doedd hon ddim yn
edrych fel amlen o'r llyfrgell; edrychai'n gyffrous.

Rhwygodd Siôn yr amlen ar agor. Y tu mewn
roedd llythyr wedi'i ysgrifennu mewn inc porffor.
Roedd e'n fyr . . . ac yn rhyfedd.

PAID Â BOD YN DDA

BYDD YN WYCH

YSGOL Y NERTHOL

Annwyl Siôn Botwm,

    Mae'n bleser gennyf dy wahodd

i gyfweliad yn Ysgol y Nerthol.

    Plis dere am 9.30 y bore yn brydlon.

Edrychaf ymlaen at gwrdd â ti.

    Yn gywir,

    Miss M. Marblen

    (Prifathrawes)

    O.N. Sef <u>fory</u>!

Tawelwch. Edrychodd Mrs Botwm ar Siôn. Gosododd Mr Botwm ei gyllell a'i fforc ar y bwrdd. 'Dwi ddim wedi clywed am ysgol o'r enw Ysgol y Nerthol.'

'Wel, on'd yw hyn yn gyffrous?' gwichiodd ei fam.

'Ond sa i'n deall,' meddai Mr Botwm. 'Ti'n mynd i'r ysgol yn barod. Beth yw Ysgol y Nerthol?'

'Dwi'n credu taw dyma'r lle newydd maen nhw ei wedi agor yn yr adeilad gwag yna,' meddai Mrs Botwm. 'Falle ei bod hi'n un o'r ysgolion yna sy'n rhoi betingalw mas i'r plant – ti'n gwbod . . .'

'PlayStations?' gofynnodd Siôn yn obeithiol.

'Na, ysgolo . . . ysgoloriaeth i blentyn clyfar,' meddai ei fam. 'Falle taw dy athro di sy wedi cysylltu â nhw.'

Allai Siôn ddim dychmygu y byddai Mr Harri wedi'i gymeradwyo i'r ysgol yma. Oedden nhw wedi anfon y llythyr at y plentyn anghywir? Ond roedd enw Siôn ar yr amlen mewn du a gwyn – wel, mewn porffor, a bod yn fanwl gywir.

Gwthiodd Mr Botwm ei blât i un ochr.
'Dwi ddim yn gwbod. Mae'r cyfan yn rhyfedd,'
meddai, gan ysgwyd ei ben. 'Dyw ysgolion ddim
fel arfer yn anfon gwahoddiad fel hyn heb rybudd.
A sut fath o enw yw Ysgol y Nerthol?'

Edrychodd Siôn ar y llythyr eto. 'Ga i fynd i'r cyfweliad?' gofynnodd. 'Jyst er mwyn cael gwbod beth maen nhw'n moyn?'

Doedd e ddim yn deall pam roedden nhw wedi ysgrifennu ato. Oedden nhw wedi bod yn ei wylio heb yn wybod iddo? Oedden nhw'n gwybod mai fe oedd y Crwtyn Cryf hefyd – archarwr ac ymladdwr y gelyn, yr un sy'n troi'r drwg yn dda?

Cliriodd Mrs Botwm y platiau. 'O, gad i'r crwt fynd, Dai.'

'Plis, Dad!' ymbiliodd Siôn.

Ochneidiodd Mr Botwm. 'Wel, waeth i ni fynd i gael golwg.'

'Hwrê!' gwaeddodd Siôn.

Gwenodd ei fam arno. 'Bydd isie crys glân arnat ti,' meddai. 'A phaid â gwisgo'r mwgwd 'na – rhag iddyn nhw'n feddwl dy fod ti'n od.'

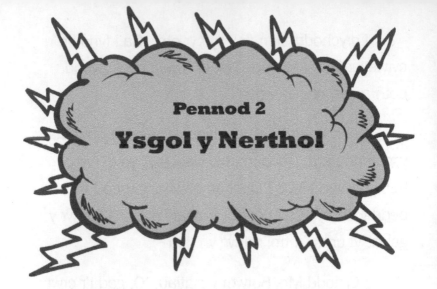

Pennod 2
Ysgol y Nerthol

Y bore wedyn eisteddai Siôn mewn ystafell lychlyd, fawr a blêr. Ar y wal roedd yr arwyddair:

Roedd cath gringoch yn canu grwndi'n uchel ar y ddesg o'u blaenau. Y tu ôl i'r ddesg roedd menyw â gwallt llwyd, gwyllt a chyrliog.

'Felly, roeddech chi am fy ngweld i?' gofynnodd Miss Marblen yn ddryslyd.

'A dweud y gwir, ro'n i'n meddwl taw *chi* oedd eisiau'n gweld *ni*,' meddai Mrs Botwm.

'Wir? Pam?' gwgodd Miss Marblen.

'Anfonoch chi lythyr at fy mab, Siôn. Dyma fe fan hyn,' meddai Mrs Botwm gan dynnu'r amlen o'i bag.

Gwisgodd Miss Marblen ei sbectol a darllen y llythyr.

'O ie,' meddai. 'Dwi'n adnabod fy sgrifen. Ry'n ni'n anfon llythyron fel hyn o bryd i'w gilydd at fyfyrwyr addawol.'

'O,' meddai Mrs Botwm yn falch. 'Ydy Siôn yn fyfyriwr addawol?'

'Gawn ni weld,' atebodd Miss Marblen. 'Beth wyt ti'n feddwl, Siôn? Wyt ti'n addawol?'

'Sa i'n siŵr,' atebodd Siôn yn ansicr. 'Mae Mr Harri'n dweud mod i byth yn gwrando.'

'Ac ydy Mr Harri yn werth gwrando arno?' gofynnodd Miss Marblen.

'Ddim felly – mae e'n mynd 'mla'n a 'mla'n a 'mla'n . . .' meddai Siôn.

Bla bla BLA
diflas diflas
bla bla BLA.

Ch
ch
ch
ch
ch

Ch ch ch ch ch

'Yna does neb ar fai ond fe'i hunan,' meddai'r brifathrawes. Cododd gan gydio yn y gath gringoch, a honno'n trio'i gorau i ddianc. Mwythodd Miss Marblen ei phen nes iddi rolio ar ei chefn a mynd yn ôl i ganu grwndi.

'Nawr,' meddai hi, 'hoffwn i ofyn cwpwl o gwestiynau i ti. Paid â phoeni – does dim atebion cywir nac anghywir. Jyst dwed beth wyt ti'n ei feddwl.'

'Ocê,' nodiodd Siôn yn ansicr. Os taw prawf syms neu sillafu oedd o'i flaen roedd e mewn trwbwl mawr. Cydiodd ei fam yn ei fraich i'w gysuro.

Tynnodd Miss Marblen ddarn o bapur wedi crychu o'r drôr. 'Felly, wyt ti erioed wedi dihuno ar ben to adeilad uchel?' gofynnodd.

Edrychodd Siôn yn syn arni.

'Wel?' gofynnodd Miss Marblen.

'Ym, naddo, sa i'n credu,' meddai Siôn.

Nodiodd y brifathrawes. 'Wyt ti erioed wedi codi rhywbeth trwm – car, er enghraifft?'

'Naddo,' meddai Siôn.

'Beth am lori neu fws?'

'Naddo,' atebodd Siôn eto. 'Dwi wedi bod *ar* fws os yw hynny'n cyfri.'

'Hmm,' meddai Miss Marblen. Mwythodd fola meddal y gath a phoeri cwestiynau mor gyflym at Siôn nes bod ei ben yn troi.

'Wyt ti erioed wedi teimlo dy fod am fynd ar dân?'

'Erioed wedi toddi unrhyw beth gyda dy lygaid?'

'Naddo.'

'Ti'n clywed pethau?'

'Sut fath o bethau?'

'Ti'n gwbod, *pethau*: lleisiau, negeseuon, anifeiliaid yn siarad?'

'Ym, na,' meddai Siôn.

'Wyt ti wedi syrthio i fyny'r grisiau?'

'I lawr y grisiau, chi'n feddwl?' gofynnodd Siôn.

'Ddim o gwbwl,' meddai Miss Marblen. 'Gall unrhyw ffŵl syrthio i lawr y grisiau; mae syrthio i fyny yn llawer anoddach.'

'Na, dwi ddim,' atebodd Siôn. Roedd e'n dechrau meddwl y byddai wedi sgorio'n uwch mewn prawf sillafu.

Aeth Miss Marblen 'nôl i'w desg a thwrio drwy bentwr o bapurau nes iddi ddod o hyd i gerdyn a'i roi i Siôn. 'Edrycha drwy'r lluniau hyn,' meddai. 'Ti'n eu hadnabod nhw?'

'Ydw,' meddai Siôn.

'Ac oes gen ti rai ohonyn nhw?'

'Nac oes!' meddai Siôn.

'Dim byd i fod â chywilydd ohono,' meddai Miss Marblen. 'Roedd gan fy nghefnder draed hwyaden ac roedden nhw'n ddefnyddiol iawn iddo.'

Edrychodd Siôn ar ei fam, oedd yn amlwg yn meddwl bod Miss Marblen o'i chof.

Eisteddodd y brifathrawes eto ac ysgrifennu rhywbeth mewn llyfr. Roedd y gath gringoch wedi dianc o dan y ddesg. 'Wel, dwi'n meddwl taw dyna'r cyfan am nawr.' Ochneidiodd. 'Hyd y gwela i, rwyt ti'n hollol normal.'

'Diolch byth am hynny!' chwarddodd Mrs Botwm.

'Mae sawl ysgol lle mae plant normal yn gwneud yn dda iawn,' meddai Miss Marblen. 'Yn anffodus, dyw Ysgol y Nerthol ddim yn un ohonyn nhw. Mae ein plant ni – sut alla i ddweud – yn arbennig.'

Oes doniau archarwyr gan y plant arbennig hyn? meddyliodd Siôn. Byddai'n sicr yn esbonio pam roedd hon yn gofyn cwestiynau rhyfedd. Roedd Miss Marblen yn dal i siarad. 'Beth am wneud cwpwl o brofion corfforol? Cod ar dy draed, Siôn.'

'Ti'n gweld y wal yna?' meddai Miss Marblen, gan bwyntio at ben pella'r ystafell. 'Rheda ati.'

'Beth?' meddai Siôn.

'Rheda mor gyflym ag y galli di. Paid â phoeni am y difrod.'

'I mewn i'r wal?' gofynnodd Siôn.

'Dere i ni gael gweld beth ddigwyddith.'

Edrychodd Siôn ar ei fam, oedd yn syllu'n gegrwth. Doedd dim amdani. Anadlodd yn ddwfn a rhedeg at y wal. Falle fod rhyw fath o ddrws cudd yno a fyddai'n ymddangos unrhyw eiliad.

'Dyna ni, roedd hynny'n hawdd, on'd oedd e?' meddai'r brifathrawes gan edrych i lawr arno. 'Wyt ti'n iawn?'

'Wy'n credu mod i.' Eisteddodd Siôn gan rwbio'i ben. 'Wnes i fe'n iawn?'

'Yn berffaith iawn, er bod rhai plant yn gwneud mwy o dolc,' meddai Miss Marblen.

Roedd rhyw deimlad gan Siôn ei fod wedi methu'r prawf.

'Wel, dyna'r cyfan, oni bai fod ganddoch chi gwestiynau,' meddai Miss Marblen.

Anadlodd Mrs Botwm yn ddwfn. Roedd ganddi beth wmbreth o gwestiynau, ond ble oedd dechrau? Doedd Miss Marblen ddim wedi sôn am bethau fel maint dosbarthiadau, gwersi na gwaith cartre.

'Beth am ginio ysgol?' gofynnodd ar hap.

'Croeso iddo'i fwyta,' atebodd Miss Marblen, 'er fydden i ddim yn argymell y peth. Mrs Cacen yw'r gogyddes waetha erioed.'

'A beth am wisg ysgol?' gofynnodd Mrs Botwm.

'Does dim un,' meddai Miss Marblen. 'Oni bai am glogyn, wrth gwrs, ar yr amod nad yw plentyn yn baglu drosto.'

'Clogyn?' gofynnodd Mrs Botwm yn ddiniwed.

'Ie. Mae pob plentyn yn dewis ei liw – coch, aur, arian – sdim ots 'da fi. Nawr 'te, oes rhywbeth arall neu alla i gario 'mlaen â 'ngwaith? Fe af â chi at y drws.'

Dilynodd Siôn a'i fam y brifathrawes ar hyd y coridor. Unwaith eto, roedd rhyw deimlad ganddo ei fod wedi methu heb wybod pam. Roedd hyn fel chwarae gêm heb wybod y rheolau. A nawr bod y cyfweliad drosodd, teimlai'n siomedig. Pam nad oedd e'n arbennig fel y plant a oedd yn cael eu derbyn i'r ysgol?

Camodd y tri allan i oleuni llachar y bore. Yn sydyn dechreuodd glustiau Siôn gosi. Dyma'r teimlad rhyfedd a gâi pan oedd rhywbeth gwael neu frawychus ar fin digwydd.

Yn sydyn . . .

'MAS O'R FFORDD!' gwaeddodd Siôn gan wthio Miss Marblen.

'Jiw jiw! O ble ddaeth hwnna?' ebychodd Miss Marblen. Edrychodd pawb i fyny. Mae'n rhaid bod y potyn blodau wedi llithro o'r silff uwchben y fynedfa. Gwelodd Siôn fod Miss Marblen yn edrych arno'n llawn diddordeb.

'Sut oeddet ti'n gwbod ei fod yn mynd i gwympo?' gofynnodd.

'Cael teimlad . . .' atebodd Siôn.

Tynnodd y brifathrawes ei sbectol a'i sychu. 'Rhyfeddol!' gwichiodd. 'Ydy hyn wedi digwydd o'r blaen?'

'Drwy'r amser,' atebodd Mrs Botwm. 'Mae hi fel byw gyda chloch ddynol, heb wbod pryd mae'n mynd i ganu.'

'Canfyddiad Allsynhwyraidd,' meddai Miss Marblen. 'Mae Siôn yn synhwyro pethau a'u teimlo cyn iddyn nhw ddigwydd.'

'Dwi ddim yn siŵr am hynny,' meddai Mrs Botwm. 'Mae ei dad yn meddwl y dyle fe weld doctor.'

Cododd Miss Marblen ddarn o'r potyn blodau. 'Wel,' meddai. 'Dyna'r cyfan sydd angen i fi ei wbod.'

Estynnodd ei llaw tuag at Siôn. 'Croeso i Ysgol y Nerthol, Siôn.'

Ysgydwodd Siôn ei llaw yn nerfus. 'Ydw i wedi pasio, 'te?'

'Wrth gwrs dy fod ti. Fe gei di ddechrau ddydd Llun.'

Edrychodd Siôn ar ei fam.

'Sa i'n gwbod,' meddai. 'Ai dyna beth wyt ti ei isie, Siôn?'

Nodiodd Siôn. 'Ie, plis.'

Edrychai Mrs Botwm yn amheus. 'Un cwestiwn arall,' meddai. 'Y clogyn 'ma – ydw i fod i'w gael o siop glogynnau arbennig?'

Pennod 3
Dros Ben Llestri

Y dydd Llun canlynol eisteddai Siôn mewn ystafell ddosbarth fawr a llychlyd gydag ugain neu fwy o blant. Doedd dim syniad ganddo beth i'w ddisgwyl – a fyddai gan rai ohonyn nhw adenydd neu fwy na dwy glust? Ond roedd y rhan fwyaf ohonyn nhw'n edrych yn reit normal.

Y drws nesa iddo eisteddai merch â gwallt tywyll oedd wedi gosod ei llyfr nodiadau, ei beiros, ei phensiliau a'i ffrisbi (pam ffrisbi?) yn daclus mewn rhesi ar y ddesg o'i blaen. Rhedodd bachgen oedd yn gwisgo sbectol i'r ystafell a'i wynt yn ei ddwrn ac eistedd yr ochr arall i Siôn.

'Tŷ bach,' dywedodd dan ei anadl.

Wrth edrych o'i gwmpas, gwelodd Siôn rai o'r wynebau roedd wedi'u gweld amser cofrestru. Ddwy res y tu ôl iddo eisteddai Tanc, bachgen sarrug yr olwg oedd yn edrych yn rhy fawr i'r gadair dan ei ben-ôl.

Daeth Miss Marblen i'r ystafell a gosod llond côl o lyfrau ar ei desg.

'Bore da, bawb,' meddai hi, yn llawn brwdfrydedd.

'Bore da, Miss Marblen,' atebodd pawb.

'Beth am ddechrau gyda chwestiwn syml,' dywedodd. 'Beth sy'n gwneud archarwr? Unrhyw un?'

Saethodd sawl llaw i'r awyr.

'Pwerau arbennig,' meddai'r ferch â gwallt tywyll.

'Dannedd da,' awgrymodd rhywun arall.

'Cyhyrau.' Gwenodd Tanc gan ystwytho'i gyhyrau fel y gallai pawb weld pa mor fawr a chryf roedden nhw.

'Ie,' cytunodd Miss Marblen. 'Mae'r pethau hyn i gyd yn bwysig, ond does neb yn troi'n archarwr oni bai ei fod yn *barod i ddysgu*. Dyma pam rydych chi yma, blant. Falle eich bod yn meddwl bod dod yn archarwr yr un mor syml â dysgu reidio beic. Credwch chi fi, dyw e ddim. Mae eisiau amynedd, disgyblaeth a'r math iawn o deits.'

Tynnodd y brifathrawes ei sbectol.

'Ac mae un peth arall,' meddai. 'Mae'n rhaid i chi ddysgu gweithio gyda'ch gilydd. Gwaith tîm, blant. Heb waith tîm ewch chi ddim i unman. Felly ar gyfer ein gwers gyntaf, hoffwn i chi ffurfio grwpiau o dri neu bedwar.'

Y math anghywir o deits

Cododd bwrlwm o leisiau llawn cyffro. Edrychodd Siôn o'i gwmpas a gweld bod y rhan fwyaf o'r dosbarth wedi dechrau ffurfio grwpiau â'u ffrindiau. *Ai fi yw'r unig un sydd ddim yn adnabod neb yma?* meddyliodd.

Teimlodd rywun yn cyffwrdd ei ysgwydd.
Y ferch gwallt tywyll.

'Ti'n styc 'da fi, wy'n credu.' Gwenodd. 'Ffion ydw i. Dyma fy niwrnod cynta i.'

'A fy un i,' meddai Siôn. 'Siôn ydw i, gyda llaw.'

'Bari ydw i, rhag ofn fod diddordeb gan unrhyw un.'

Trodd y ddau at y bachgen â'r sbectol, yr un lleiaf tebyg i archarwr a welodd Siôn erioed. Roedd ganddo wyneb gwelw a weiers llachar ar hyd ei ddannedd. *Fyddai gan hwn ddim gobaith mewn ffeit*, meddyliodd Siôn, *oni bai ei fod yn ymladd bochdew*.

Moyn ffeit, wyt ti?

Daeth Miss Marblen â theclyn ar olwynion
i mewn i'r dosbarth. 'PST yw hwn,' eglurodd.
'Peiriant Saethu Taflegrau. Dewch i weld sut
mae'n gweithio.'

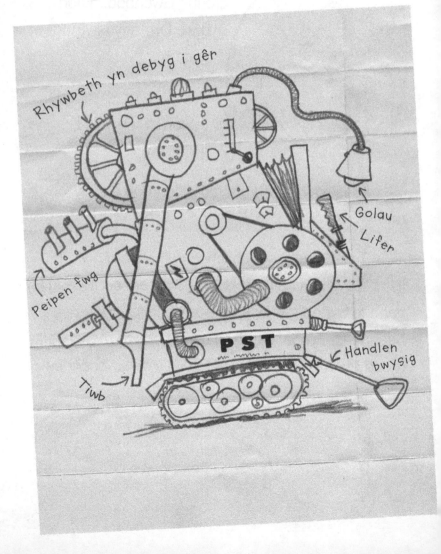

Ymgasglodd pawb o amgylch Miss Marblen a'r peiriant. Tynnodd hi lifer. Fflachiodd goleuadau coch ac yna, yn swnllyd, daeth y peiriant yn fyw. Cododd y tiwb i fyny'n sydyn.

WWWWSHHH!

Saethodd cwpan ar draws yr ystafell ar gyflymdra o naw deg milltir yr awr. Gwenodd Miss Marblen a diffodd y peiriant.

'Galle hwnna fod wedi bod yn daran, nid cwpan,' meddai. 'Fel archarwyr, dydych chi byth yn gwbod pryd bydd rhywun yn trio ymosod arnoch chi. Dyna pam mae'n rhaid i chi fod yn effro ac yn barod bob amser. Nawr, mae eich tasg chi yn syml – rhwystro'r PST rhag gweithio. Pawb yn deall? Gwych. Pa grŵp hoffai fynd yn gyntaf?

Daeth tawelwch mawr dros y dosbarth. Doedd neb yn awyddus iawn i gael storm o lestri'n gwibio

atyn nhw. Teimlodd Siôn law yn ei wthio i'r blaen.

'O, Siôn,' meddai Miss Marblen. 'Dwi'n gweld dy fod ti isie gwneud argraff dda ar dy ddiwrnod cynta.'

Trodd Siôn a gweld Tanc yn gwenu o glust i glust. *Ai hwn wthiodd fi?* meddyliodd Siôn yn flin.

Mewn dwy funud roedd Siôn yn y blaen ar bwys Bari a Ffion, a theimlai fel petai ei glustiau ar dân. Roedd e'n gobeithio'n fawr na fyddai'n gwneud ffŵl ohono'i hunan o flaen pawb.

'Sut wnawn ni hyn?' gofynnodd i Ffion.

Rhoddodd hi ei ffrisbi yn ei belt.

'Rhaid i ti osgoi'r tanio, Siôn. Fe dria i gyrraedd y peiriant a'i ddiffodd,' dywedodd.

'Iawn,' cytunodd Siôn. 'Swnio'n ddigon syml.'

'Sa i'n cytuno,' meddai Bari. 'Os yw'n saethu ar gyflymdra o naw deg milltir yr awr, mae 'da ni tua 0.4 eiliad i ymateb.'

'Sut ddest ti i'r canlyniad yna?' gofynnodd Siôn.

'Dyfalu,' atebodd.

Roedd gweddill y dosbarth wedi symud i ochr arall yr ystafell, yn bell o lwybr y tân. Roedd Tanc wedi dringo ar ben y ddesg fel y gallai weld yn well. Edrychai fel petai'n mwynhau bob munud.

'Barod?' meddai Miss Marblen.

Tynnodd Siôn anadl ddofn wrth i Miss Marblen godi'r lifer i lefel pedwar.

Saethodd rhywbeth o'r peiriant, heibio i glust chwith Siôn. Torrodd plât yn erbyn y wal gefn.

WWWWWWWWSH!

Daeth rhagor o daflegrau, un ar ôl y llall. Roedd pob math o offer cegin yn saethu o'r twib fel bwledi o wn. Doedd dim byd y gallai Siôn ei wneud. Roedd

ei glustiau'n llosgi pob tro roedd angen iddo blygu ei
ben. Cododd ei ben am eiliad.

'Gwnewch rywbeth! Gweithiwch gyda'ch gilydd!

'GWAITH TÎM!' gwaeddodd Miss Marblen uwchben y sŵn.

'Mae'n rhy gyflym!' cwynodd Siôn. 'Beth wnawn ni?'

'Mae angen tarian arnon ni!' gwaeddodd Bari, wrth i blât arall hedfan heibio.

'Grêt!' atebodd Siôn. 'Ti'n gweld tarian yma'n rhywle?'

Edrychodd y tu ôl iddo. A dweud y gwir roedd sawl peth yno a allai fod yn darian: cadair, er enghraifft. Trodd ar ei ochr a chydio mewn cadair a'i dal o'i flaen.

'Da iawn! Ry'ch chi'n dechrau meddwl o'r diwedd!' gwaeddodd Miss Marblen.

Chwalodd powlen yn erbyn y gadair. Gwnaeth Ffion yr un peth â Siôn a chlosio ato, gan guddio y tu ôl i'w tarianau wrth i lestri wibio heibio fel bwledi.

'Mae syniad 'da fi,' meddai Ffion.

Tynnodd y ffrisbi o'i belt.

Edrychodd Siôn yn syn arni. 'Sdim amser i chware gêmau!'

'Rho gwpwl o eiliadau i fi,' meddai Ffion. 'Dwi'n credu y galla i stopio'r peiriant.'

Doedd Siôn ddim yn deall. Mae'n rhaid ei bod hi o'i chof. Beth oedd hi'n mynd i'w wneud – gofyn i'r peiriant chwarae ffrisbi gyda hi? Aeth Ffion yn ei chwrcwd a llwyddo i osgoi powlen ffrwythau oedd yn hedfan heibio. Yr eiliad nesa gwelodd Siôn hi'n taflu'r ffrisbi. Aeth hwnnw ar draws yr ystafell a throi tuag at y peiriant.

SWWW

Trawodd y peiriant gydag ergyd uchel gan wthio'r lifer i'r chwith. Daeth *bwmp* a *brr* – wedyn tawelwch.

SHSH!

Rhoddodd Siôn y gadair i lawr yn araf. Roedd y storm o lestri wedi peidio. Roedd ffrisbi Ffion wedi llwyddo i atal y peiriant. Cododd y tri ohonyn nhw ar eu traed ac edrych ar y llanast o lestri oedd wedi'u chwalu o'u cwmpas.

'Gwych! Da iawn!' gwaeddodd Miss Marblen a chlapiodd plant y dosbarth wrth i Siôn a'i ffrindiau newydd sefyll o'u blaen wedi'u syfrdanu.

'Da iawn chi,' meddai Siôn.

'A ti,' cytunodd Ffion.

'Dim problem,' meddai Bari, gan gyffwrdd ei ben â'i fys.

Pennod 4

Bresych Beiddgar

Yn y cyfamser, yn ei chegin laith, dywyll o dan
y grisiau roedd Mrs Cacen, cogyddes yr ysgol,
yn paratoi cinio i'r staff a'r plant. Rhoi darnau o
feipen mewn cawl triog oedd hi pan ddaeth cnoc
ar y drws cefn.

'Parsel,' gwaeddodd llais dyn.

Gwgodd Mrs Cacen. 'Ond dwi ddim wedi
archebu unrhyw beth.'

'Dyma'r cyfeiriad. Dwi mond yn dilyn y
cyfarwyddiadau. Bocs o fresych. Arwyddwch
fan hyn.'

49

Cariodd dau ddyn focs mor fawr ag oergell i mewn gan bwffian a thuchan a gadael y bocs yng nghanol y gegin. Syllodd Mrs Cacen arno ac ysgwyd ei phen. Roedd rhywun wedi gwneud camgymeriad, ond fe allai hi ddefnyddio'r bresych i wneud cawl neu ginio dydd Sul. Aeth yn ôl i grafu maip.

'Mami!'

Edrychodd Mrs Cacen o'i chwmpas. Doedd neb yno – dim ond waliau llaith. Mae'n rhaid mai'r drws oedd yn gwichian, meddyliodd, gan fynd yn ôl at ei gwaith.

'Mami, fi sy 'ma!'

Y tro hwn bu bron iddi neidio o'i chroen. Roedd y llais fel petai'n dod o'r bocs. Aeth yn agosach gan ddal ei llwy gawl yn dynn rhag ofn.

'Helô?' sibrydodd.

'Mami!'

Roedd Mrs Cacen wedi'i syfrdanu. Roedd y bresych yn y bocs yn gallu siarad ac yn meddwl ei bod hi'n fam iddyn nhw!

'Ydych chi'n . . . ydych chi'n iawn?' gofynnodd i'r bocs.

'Wrth gwrs nad ydw i'n iawn. Dwi'n methu anadlu!' cwynodd un o'r bresych. 'Tynna fi mas!'

Gyda dwylo crynedig cododd Mrs Cacen glawr y bocs yn araf. Y tu mewn roedd dwsinau o fresych gwyrdd cyffredin. Cyffyrddodd ag un yn ofalus â'i bys i weld a fyddai'n siarad. Dim gair. Ond yn sydyn dechreuodd yr holl haen uchaf symud a daeth pen i'r golwg gan daflu bresych fel peli dros y llawr.

AAAAAAAA!

'Cau dy geg, Mami! Fi yw e!'

Syllodd Mrs Cacen mewn syndod. 'Gareth?' meddai. 'Ti wedi codi ofn ofnadwy arna i. Beth wyt ti'n ei wneud yn fan'na?'

'Beth ti'n feddwl wy'n ei wneud? Cuddio.'

'Mewn bocs o fresych?'

'Na, mewn brechdan gaws a phicl. Helpa fi – mae fy nghoesau i wedi mynd i gysgu.'

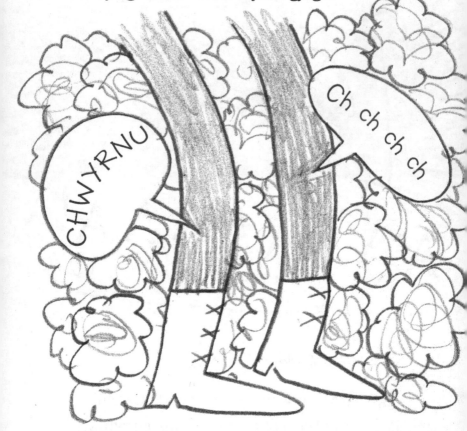

Helpodd Mrs Cacen ei mab i ddringo allan

o'r bocs. Roedd e'n drewi – yn amlwg wedi treulio llawer gormod o amser yng nghanol y bresych.

Cododd a sythu ei gorff.

Edrychai'n ddoniol iawn gydag un ddeilen ar ei ben. Syrthiodd honno i'r llawr wrth iddo neidio o gwmpas y gegin yn ceisio cael rhyw deimlad yn ôl yn ei goesau.

'Beth wyt ti'n ei wneud fan hyn?' gofynnodd Mrs Cacen. 'Dwyt ti ddim wedi dod yma o'r blaen.'

'Mami, dwi wedi bod yn y carchar. Dy'n nhw ddim yn eich gadael chi allan ar benwythnosau.'

'O, Gareth, wyt ti wedi bod yn dwyn losin eto?' holodd Mrs Cacen yn grac.

'Sawl gwaith sy raid dweud, Mami. Dwi ddim yn chwech oed bellach. Fi yw'r Gelyn Gwyrdd, yr archelyn byd-enwog. Pam wyt ti'n meddwl mod i wedi gwisgo fel hyn?'

'Dwi ddim yn gwbod. Nag wyt ti'n dwym yn y mwgwd yna?'

'Ta beth, dwyt ti ddim wedi ateb fy nghwestiwn: pam wyt ti yma?'

'Ble arall allwn i fynd?' meddai'r Gelyn Gwyrdd. 'Maen nhw'n edrych amdana i.'

Y gwir amdani oedd ei fod angen rhywle i guddio am dipyn. Roedd wedi treulio blwyddyn, bron, yng Ngharchar Llwyn-du ar ôl i'r ff l yna, Capten Carlam, ddifetha'i gynllwyn i ddwyn o Fanc Lloegr. (Sut oedd e fod i wybod bod larymau lladron ym mhobman?) Yn y diwedd, ar ôl sawl ymdrech, roedd e wedi dianc o'r carchar. Er iddo orfod treulio noson anghyffyrddus yn sownd mewn bocs yng nghefn lori, o leia roedd e'n rhydd. Y cwbwl oedd ei angen arno nawr oedd lle da i guddio, rhywle na fyddai'r heddlu'n meddwl chwilio amdano.

'Beth wyt ti'n ei wneud yn y twll yma?'

'Dyma'n swydd i,' atebodd ei fam. 'Ysgol y Nerthol. Dwi'n gogyddes ac yn brif fenyw ginio. A dweud y gwir fi yw'r unig fenyw ginio.'

Chwarddodd y Gelyn Gwyrdd yn gas.

'Sut wyt ti'n gogyddes? Dwyt ti ddim yn gallu gwneud tost hyd yn oed.'

'Gad dy ddwli, blodyn tatws, dwi byth yn gwneud tost,' meddai Mrs Cacen. 'Bydda i'n gwneud cawl poeth, neis a lobsgows. Oes awydd bwyd arnot ti?'

'Dim diolch,' meddai'r Gelyn Gwyrdd. Roedd e eisoes wedi edrych yn y sosban lle roedd croen meipen yn berwi mewn cawl brown, afiach yr olwg.

Edrychodd i gyfeiriad y grisiau. 'Felly, pwy arall sydd yma?'

'Dim ond y staff a'r plant,' atebodd Mrs Cacen. 'Er, mae'n rhaid i fi gyfaddef, maen nhw'n griw rhyfedd.'

'Ym mha ffordd maen nhw'n rhyfedd?'

'Y pethau maen nhw'n ei wneud,' meddai. 'Y diwrnod o'r blaen weles i blentyn yn dod drwy'r drws.'

'Beth sydd mor rhyfedd am hynny?'

'Roedd y drws ar gau. Ac mae 'na un arall sy'n gallu newid ei liw – o goch, i wyrdd, i las – mae e fel golau traffic.'

'Ti'n dychmygu pethau,' wfftiodd y Gelyn Gwyrdd.

'Dim o gwbwl, blodyn tatws.'

Gwgodd y Gelyn Gwyrdd. Plant oedd yn gallu cerdded trwy ddrysau neu newid lliw eu croen? Os oedd hyn yn wir, dim ond un esboniad oedd yn bosib. Nid plantos cyffredin oedd y rhain ond *archblantos*.

Roedd e wedi dod ar draws rhyw fath o ysgol oedd yn hyfforddi plant i fod yn archarwyr. Ysgol y Nerthol – wrth gwrs, roedd yr enw'n dweud y cwbwl!

Cerddodd y Gelyn Gwyrdd 'nôl a 'mlaen yn y gegin. Roedd hyn yn ofnadwy, y newyddion gwaethaf ers iddo ddod i wybod nad oedd tylwyth teg y dannedd yn bodoli. Roedd yn ddigon drwg darllen dro ar ôl tro yn y papur newydd fod Capten Carlam wedi achub y byd! Ond nawr roedden nhw'n magu to newydd o archarwyr – rhai bach drwg fyddai'n cnoi eich coesau. Rhaid iddo fynd o fan hyn ar unwaith.

Ond na, efallai nad oedd angen iddo ddianc wedi'r cwbwl. Ar ôl meddwl am y peth, dyma oedd yr ateb i'w holl broblemau – hwn oedd y lle delfrydol i guddio. Byddai'r heddlu byth yn meddwl chwilio amdano mewn ysgol! Gallai lechu ar yr ymylon a dechrau cynllunio'i ymdrech nesaf i orchfygu'r byd. Doedd dim rheswm pam y byddai'r archblantos yn tarfu arno. Yn wir, fe allen nhw fod o ddefnydd iddo.

'Mami,' meddai, 'oes unrhyw un arall byth yn dod i'r gegin?'

'Nac oes, blodyn.'

'Iawn, mi wna i aros fan hyn. Gwna wely i fi. A thra wyt ti wrthi, glanha'r lle 'ma – mae'n drewi o fresych.'

Edrychodd ei fam arno. 'Ond siwgwr candi, alli di ddim aros fan hyn!'

'Pam?'

'Gallai rhywun dy weld di. Beth os sylweddolan nhw mai ti yw'r Golau Gwyrdd?'

'Y Gelyn Gwyrdd!'

'Yn gwmws,' meddai Mrs Cacen. 'Os ca i fy nal yn gwarchod archdroseddwr fe golla i fy swydd.'

'Paid â phoeni, Mami. Cofia – dwi'n arbennig o dda am guddio,' meddai ei mab. 'Fydd neb yn fy adnabod i. A dwyt ti byth yn gwbod – tra mod i yma gallwn droi fy llaw at ychydig o ddysgu.'

'Paid â bod yn wirion, siwgwr,' meddai Mrs Cacen. 'Beth yn y byd allet ti ddysgu i blant?'

'Hwn a'r llall,' meddai'r Gelyn Gwyrdd â gwen ddrwg.

Pennod 5

Y Gorau

Roedd Siôn yn poeni. Ar y bwrdd roedd yr holl eitemau roedd Mrs Pwyth wedi dweud y bydden nhw eu hangen ar gyfer gwers heddiw: siswrn, tâp mesur, pinnau, nodwydd ac edau. Rywsut, roedd e wedi cymryd y byddai gwisgoedd archarwyr yn cael eu darparu, ond roedd hi'n ymddangos mai nhw oedd yn gorfod eu CREU.

Roedd eu hathrawes yn fenyw fach a chanddi wallt arian. Edrychai mor fach, fe allai hi ffitio ym mhoced rhywun. Y funud honno roedd hi'n eu hatgoffa pa mor bwysig oedd cael gwisg a fyddai'n ffitio'n dda.

'Beth yw'r peth mwyaf amlwg am archarwyr?' gofynnodd. 'Gwên lachar? Ysgwyddau llydan? Y ffaith eu bod yn medru dod i mewn drwy'r to yn hytrach nag agor y drws? Na, y peth mwyaf amlwg yw'r wisg. Y wisg sy'n dweud wrthoch chi'n syth eu bod yn archarwyr. Heb y clogyn, y mwgwd a'r wisg dynn, beth sydd ar ôl?'

'Person noeth, miss,' gwaeddodd Tanc. Dechreuodd yr holl ddosbarth chwerthin.

'Dyna ddigon,' ochneidiodd Mrs Pwyth. 'Trowch at eich llyfrau gwaith. Ym mhennod 4 fe welwch chi bethau defnyddiol i'ch helpu i ddewis eich gwisg.'

Agorodd Siôn y llyfr mawr coch ar ei ddesg a dechrau darllen . . .

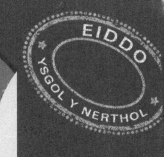

PAID Â BOD YN DDA

BYDD YN WYCH

Llawlyfr Canllaw Archarwyr

Popeth sydd angen i chi ei
wybod er mwyn achub y byd.

4

DILLAD DEWR

I archarwr, does dim byd yn fwy pwysig na dewis y wisg iawn. Wel, ocê, anghofia hwnna – mae osgoi marwolaeth erchyll yn fwy pwysig. Ac achub y byd rhag chwalfa – a chofio pen-blwydd dy fam. Ond mae dewis y wisg iawn yn bendant yn un o'r pethau pwysicaf. Os na fydd eich gwisg yn iawn, fel gwisg Hufen Hyll, bydd neb yn eich cofio. (Glywsoch chi erioed am Hufen Hyll? Yn gwmws.)

Bydd gwisg dda yn creu argraff ac yn gadael i chi fynd i mewn ac allan o adeiladau sydd ar dân. Bydd gwisg wael yn golygu bod pobol yn eich camgymryd am rywun sy'n gwerthu byrgers. Dyma rai o'r camgymeriadau amlwg i'w hosgoi.

1.MYGYDAU

Mae mwgwd yn creu dirgelwch. Ond peidiwch â gwneud hyn:

FFIGWR 1 Mwgwd sy'n rhy gymhleth

FFIGWR 2 Pwy anghofiodd greu tyllau i'r llygaid?

2. CLOGYNNAU

Mae archarwr heb glogyn fel hufen iâ heb hufen.
Mae clogyn yn ddefnyddiol i'w chwifio yn y gwynt
pan rydych yn hedfan neu'n sychu eich gwallt.

Ond cymerwch ofal â hyd eich clogyn. Os yw'n rhy
fyr byddwch chi'n edrych fel tasech chi'n gwisgo
hances, os yw'n rhy hir byddwch chi'n debygol o gael
damwain wrth ddefnyddio lifft neu risiau symudol.

3. BWTS

Dylai eich bwts gyrraedd at eich pengliniau, ac yn rhai sgleiniog a thrwm. Ond nid yn rhy drwm, cofiwch.

Yn hytrach nag edrych ar y llyfr gwaith, roedd Siôn, Bari a Ffion yn siarad yn dawel.

'Sut wnest ti ddysgu gwneud hwnna?' holodd Siôn.

'Gwneud beth?' gofynnodd Ffion.

'Taflu ffrisbi fel'na. Ti'n beryglus!'

'Dwi'n ymarfer drwy'r amser,' meddai Ffion. 'Mae Mam yn fy ngalw i'n Ffion Ffrisbi. Beth mae dy fam di'n dy alw di?'

'Crwtyn Cryf, oherwydd fy nghlustiau,' atebodd Siôn.

'Mae 'da ti glustiau cryf?'

'Nac oes, ond dwi'n cael rhyw deimlad dewr pan mae rhywbeth ar fin digwydd,' eglurodd Siôn, gan grafu ei glustiau. 'Fel tase fy nghlustiau'n rhoi cryfder i fi. Beth amdanat ti, Bari?'

'Fi?' cochodd Bari. 'Dwi ddim yn gallu gwneud unrhyw beth. Dim ond boi cyffredin ydw i.'

'Alli di ddim bod,' meddai Ffion, 'neu fyddet ti ddim yma.'

'Iawn 'te,' ochneidiodd Bari. 'Dwi'n gwbod pethau.'

'Pa fath o bethau?' gofynnodd Siôn.

'Pob math – dyddiadau, enwau, rhifau, gwybodaeth – maen nhw'n glynu at fy ymennydd fel gwm cnoi.'

'Waw!' ebychodd Siôn. Roedd e'n swnio'n hollol wahanol i'w ymennydd e, lle roedd pethau yn llithro drwyddo fel blawd. 'Beth yw 24,372 wedi'i rannu â 40?' gofynnodd.

'609.3,' atebodd Bari mewn chwinciad.

'Gwych!' meddai Siôn. 'Wnest ti ddim defnyddio dy fysedd, hyd yn oed!'

Edrychodd i fyny. Roedd Mrs Pwyth yn siarad eto ond roedd e wedi colli'r rhan fwyaf o'r hyn ddywedodd hi.

'Ac unwaith mae pob mesuriad gyda chi fe gewch chi ddechrau,' meddai. 'Pawb yn deall?'

'Dechrau beth?' sibrydodd Siôn.

'Gwneud ein gwisgoedd,' atebodd Ffion. 'Beth yw dy hoff liw di?'

'Glas,' meddai Siôn.

'Brown,' meddai Bari.

'Melyn yw fy un i, ond dwi'n credu awn ni am las,' penderfynodd Ffion. 'Mae brown ychydig yn rhy ddiflas ac os gwisgwn ni felyn byddwn ni'n edrych fel bwnshyn o fananas.'

'Ym, pwy yw *ni*?' gofynnodd Siôn.

'Ni,' meddai Ffion. 'Os ydyn ni'n mynd i fod yn dîm, bydd rhaid i ni i gyd gael yr un wisg. Nag wyt ti'n gwrando?'

'O,' meddai Siôn.

Roedd hynny wedi'i benderfynu. Doedd Siôn erioed wedi ystyried bod yn un o dîm, ond o feddwl am y peth, roedd yn syniad da. Roedd bod yn archarwr ar eich pen eich hunan yn waith caled. Ond os oeddech chi mewn criw fe allech chi fynd ar anturiaethau dewr gyda'ch gilydd. Ta beth, roedd Ffion i'w gweld yn un drefnus. Doedd bod yn drefnus ddim yn un o gryfderau Siôn – roedd e'n well am banicio.

'Felly bydd angen enw arnon ni. Beth wnawn ni alw'n hunain?' gofynnodd Ffion wrth iddi fesur braich Siôn â thâp mesur.

Cwestiwn da. Roedd gan bob criw o archarwyr enw, fel arfer rhywbeth oedd yn swnio'n gryf ac yn ddewr.

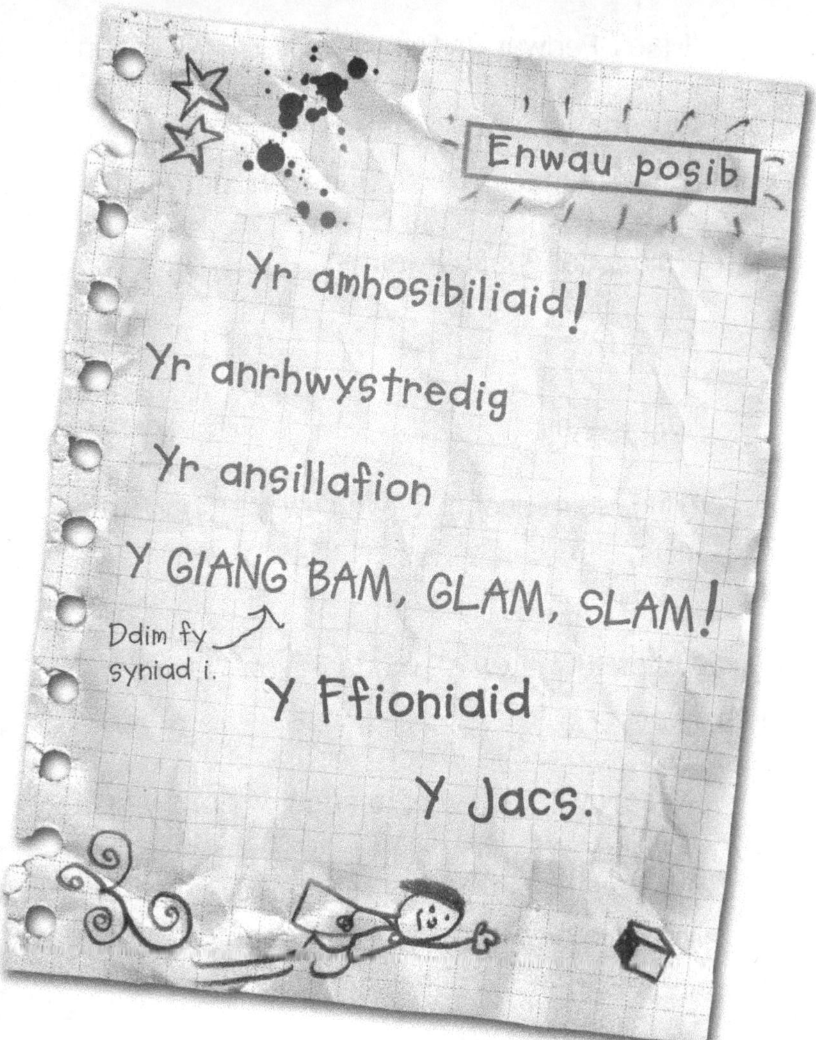

Enwau posib

Yr amhosibiliaid!

Yr anrhwystredig

Yr ansillafion

Y GIANG BAM, GLAM, SLAM!

Ddim fy syniad i.

Y Ffioniaid

Y Jacs.

Ond doedd dim byd yn taro deuddeg.

'Beth am y Tri Teyrn?' gofynnodd Siôn.

'Mae'r Pedwar Paffiwr yn well,' meddai Ffion.

Gwgodd Siôn. 'Ond does dim pedwar ohonon ni,' meddai. 'Ti, fi a Bari – un, dau, tri.'

'Paid ag anghofio Pwdin.'

'Pwdin?'

'Ie. Fy nghi.'

'Alli di ddim cael ci mewn criw o archarwyr!'

'Pam?'

'Achos taw ci yw e!' meddai Siôn. 'Enwa di archarwr sy'n gi.'

'Nid ci cyffredin yw e,' meddai Ffion. 'Fy nghi i yw e, Pwdin, y ci rhyfeddol.'

'Wir? Beth sy'n rhyfeddol amdano?' gofynnodd Bari.

'Mae e'n gallu gweld trwy bethau. Mae e'n gwbod os oes bisgeden yn dy boced di.'

'Fel'na mae pob ci,' meddai Siôn. 'A dyw e ddim yn mynd i fod o lawer o ddefnydd os ydyn ni'n gorfod ymladd rhyw elyn galluog iawn.'

'Oni bai fod bisgeden yn ei boced e,' meddai Bari.

'Ond nid dyna'r cyfan,' meddai Ffion. 'Mae e'n gallu gorwedd yn llonydd iawn. Byddech chi ddim hyd yn oed yn gwbod ei fod e yna.'

Chwarddodd Siôn. 'Dwi'n siŵr y bydden i'n gwbod.'

'Iawn, mi wna i brofi fe,' meddai Ffion. 'Ac os llwydda i, caiff Pwdin fod yn y criw. Iawn?'

'Iawn,' cytunodd Siôn.

Amneidiodd Bari. 'Iawn 'da fi.'

Plygodd Ffion ei breichiau. 'Edrychwch o dan y bwrdd,' meddai.

'Beth?'

'Edrychwch. Dewch 'mla'n.'

Edrychodd Siôn a Bari o dan y bwrdd.
Roeddwn nhw'n syfrdan.

'Sut gyrhaeddodd e fan'na?' gofynnodd Siôn.

'Dyna un o'i bwerau,' gwenodd Ffion.
'Mae e'n anweledig i athrawon. Felly ydy pawb
yn gytûn bod Pwdin yn y criw?'

Ochneidiodd Siôn. Roedd ganddo deimlad
y byddai'n difaru hyn. Ond yr eiliad honno daeth
Mrs Pwyth draw atyn nhw.

'Wel?' dywedodd. 'Beth ydych chi'ch tri wedi'i wneud? Dewch i fi gael gweld eich gwaith.'

Dangosodd Ffion ei rhestr o fesuriadau. Dyna'r cwbwl roedden nhw wedi'i wneud.

Ysgydwodd Mrs Pwyth ei phen yn ddiamynedd a gafael mewn siswrn o'i phoced. Aeth hi ati fel corwynt i fesur, torri a gwnïo darnau o ddefnydd ar beiriant. Ar ôl iddi orffen rhododd hi dair gwisg las llachar iddyn nhw. Gwisgon nhw'r dillad a rhuthro at y drych ar y wal.

Roedd yr effaith yn syfrdanol. 'Waw!' ebychodd Bari. 'Ry'n ni'n edrych yn wych – fel archarwyr go iawn.'

'Ry'n ni'n edrych yn ddewr,' meddai Ffion.

'Ydyn!' cytunodd Siôn. 'Dwi'n gwbod beth ddylen ni alw'n hunain.'

'Beth?'

'Y Dewrion!'

Y Dewrion – enw da. Edrychodd y tri ohonyn nhw ar eu hadlewyrchiad yn y drych a Pwdin wrth eu coesau.

Roedd ganddyn nhw enwau a gwisgoedd. Y cwbwl oedd ei angen arnyn nhw nawr oedd cyfle i ymladd yn erbyn y Drwg. Ond ble ddylen nhw ddechrau? *Dyna'r broblem o fyw yn rhywle fel hyn*, meddyliodd Siôn, *does dim llawer o hynny o ddihirod drwg yma*.

Doedd dim angen iddo boeni oherwydd y funud honno roedd rhywun drwg yn cerdded ar hyd goridorau'r ysgol ac ar fin rhoi cnoc ar ddrws Mrs Pwyth.

PAID Â BOD YN DDA

BYDD YN WYCH

CRWTYN CRYF (sef Siôn)

PWERAU ARBENNIG:
Clustiau cryf sy'n
synhwyro perygl

HOFF ARF: Tidliwincs

CRYFDERAU: Goroesi
er gwaetha popeth

GWENDIDAU: Poeni o hyd

ARCH-SGÔR: 53

FFION FFRISBI (sef Ffion)

PWERAU ARBENNIG: Taro'r targed

HOFF ARF: Ffrisbi, WRTH GWRS

CRYFDERAU: Trefnus, y bòs

GWENDIDAU: Gweler uchod

ARCH-SGÔR: 56

BARI BRÊNS (sef Bari)

PWERAU ARBENNIG: Ymennydd anhygoel

HOFF ARF: Cwestiynau cwis

CRYFERDAU: Ym . . .

GWENDIDAU: Casáu ymladd

ARCH-SGÔR: 41.3

PWDIN, Y CI RHYFEDDOL

PWERAU ARBENNIG: Arogli pethau neis

HOFF ARF: Llyfu a glafoerio

CRYFERDAU: Ffyddlondeb

GWENDIDAU: Fel clwtyn llawr mawr

ARCH-SGÔR: 2

Pennod 6
Y Gelyn Gwyrdd

Roedd Miss Marblen yn darllen y papur lleol.

Roedd erthygl ar dudalen pump wedi dal ei llygaid.

GWALLT CAS

MWGWD CAS

DREWI O FRESYCH

GWÊN SLEI

Heddiw fe gyhoeddodd yr heddlu y llun ffotoffit hwn o'r Gelyn Gwyrdd, yr archdroseddwr creulon sydd wedi dianc yn ddiweddar o Garchar Llwyn-du lle roedd wedi'i garcharu am dair blynedd am gynllwynio i orchfygu'r byd.

Mae e'n feistr ar guddwisgo ac yn beryglus ofnadwy.

Astudiodd Miss Marblen y llun o'r archddihiryn mewn mwgwd. Edrychai'n ddyn cas. Diolch byth nad ydw i'n debygol o ddod wyneb yn wyneb â hwn, meddyliodd. Daeth cnoc ar y drws i darfu ar ei meddyliau.

'Dewch i mewn!'

Daeth dyn tal a thenau i'r ystafell. Wrth iddo sleifio i'r gadair clywodd Miss Marblen arogl bresych.

DREWDOD

'Alla i eich helpu?' gofynnodd.

'A dweud y gwir, dwi'n credu y galla i eich helpu chi,' meddai â gwên swil. 'Fy enw i yw Roli Penoli.'

'Roli Pen –?' gofynnodd Miss Marblen.

'Penoli. Dwi'n dod o linach hir o Penolis. Ond dwi ddim yma i drafod y Penolis. Dof i'n syth at y pwynt – dwi'n clywed eich bod yn chwilio am athro newydd.'

Sylwodd Miss Marblen fod ei chath wedi mynd i guddio. Roedd ganddi deimlad rhyfedd bod gwên yr ymwelydd yn gyfarwydd.

'Sori,' meddai. 'Mae digon o staff gen i ar hyn o bryd. Ta beth, dyw Ysgol y Nerthol ddim yn ysgol gyffredin.'

'Dwi'n gwbod,' cytunodd Roli Penoli. 'A dwi ddim yn athro cyffredin chwaith. Dwi ddim yn un i frolio fy hunan ond dwi'n siŵr mai fi yw'r person mwya clyfar yn yr ystafell hon. Roeddwn i'n ddarlithydd ym Mhrifysgol Ton-y-trowsus. Efallai eich bod wedi clywed amdana i?'

'Dwi ddim yn meddwl. Pa bwnc oeddech chi'n ei ddysgu?' gofynnodd Miss Marblen.

'Dysgu?' Edrychai'r athro'n syn am eiliad.
'O ie, dysges i lawer o bethau. Troseddu yn bennaf . . .
ym, gwyddoniaeth droseddu.'

'Jiw jiw! Dyna ddiddorol!' meddai Miss Marblen.
'A beth yw hwnnw yn gwmws?'

'Wel, mae e fel gwyddoniaeth ond gyda
throseddwyr. Er enghraifft, fe wnaethon ni arbrawf
i weld beth sy'n digwydd os ydych chi'n cadw
troseddwyr mewn tymheredd o dan y rhewbwynt.'

'Beth sy'n digwydd?'

'Maen nhw'n troi'n las.'

Amneidiodd y brifathrawes yn feddylgar.
'Dwi'n ofni nad ydw i'n arbenigwraig.'

'Does dim llawer ohonon ni,' meddai Penoli,
gan ochneidio. 'Dyna pam dwi eisiau dysgu plant.
Chi'n gweld, dwi wastad wedi breuddwydio am fan lle
mae plant bach hyll – sori, hardd – yn gallu dysgu'r
sgiliau sydd eu hangen arnyn nhw ar gyfer y dyfodol.'

Disgleiriodd llygaid Miss Marblen. 'Ond dyna

beth yn union ry'n ni'n ceisio'i wneud yma yn Ysgol y Nerthol!'

'Wir?'

'Wir. Meddyliwch sut y gallen ni newid y byd pe bydden ni'n hyfforddi hanner cant o archarwyr newydd.'

'Dychmygwch!' meddai Penoli, gan grychu ei dalcen.

Pwysodd Miss Marblen ymlaen. 'Chi'n gwbod beth? Falle fy *mod* i'n chwilio am athro newydd, wedi'r cyfan,' meddai.

'Does dim angen i chi chwilio ymhellach,' meddai'r athro.

'Dwi'n ofni bod yr ysgol yn eitha hen,' ymddiheurodd Miss Marblen.

'Ddim cystal â'r hyn ry'ch chi'n gyfarwydd ag e.'

'Na,' atebodd Penoli. 'Roedd y lle diwetha i mi fod ynddo fel carchar o'i gymharu â'r fan hyn.'

Ar ôl ysgwyd dwylo fe gaeodd Miss Marblen y drws. *Dyna ddyn bach neis*, meddyliodd, *ac yn athro gwyddoniaeth droseddu hefyd*. Doedd dim dwywaith na fyddai e'n gallu dysgu pob math o bethau defnyddiol i'r plant.

Roedd Mrs Cacen yn canu i'w hunan wrth iddi fynd at y ffreutur yn cario sosban fawr o datws stwnsh llawn lympiau.

'Psst!'

Edrychodd o'i chwmpas. Roedd hyn yn dechrau ei gofidio. Doedd hi ddim yn gallu cerdded pedwar cam heddiw heb glywed lleisiau.

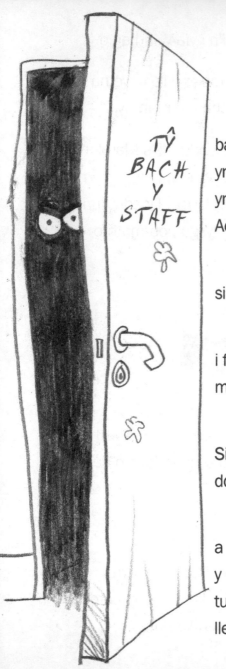

TÝ
BACH
Y
STAFF

'Psst!'

Roedd yn dod o dŷ bach y staff, lle roedd y drws yn gilagored. Gwelai wyneb yn edrych allan drwy hollt. Aeth Mrs Cacen yn agosach.

'Fi yw e, Mami,' sibrydodd y Gelyn Gwyrdd.

'Dwi ddim yn dod i mewn i fan'na gyda ti. Tŷ bach yw e,' meddai Mrs Cacen.

'Paid â bod mor wirion. Siapa hi cyn i rywun arall ddod heibio!'

Ochneidiodd Mrs Cacen a sleifio drwy'r drws. Bolltiodd y Gelyn Gwyrdd y drws o'r tu mewn. Doedd e ddim yn lle delfrydol i gael cyfarfod dirgel – roedd yn drewi o stwff glanhau ac mor gyfyng â bocs esgidiau corrach. Edrychodd Mrs Cacen o'i chwmpas am rywle i roi ei sosban. Byddai'n rhaid i'r llawr wneud y tro.

'Ydy hyn yn mynd i gymryd sbel? Mae pwdin reis 'da fi i'w wneud,' meddai. 'Pam wyt ti'n gwisgo'r sbectol dwp 'na?'

Tynnodd y Gelyn Gwyrdd y sbectol. 'Hon yw fy nghuddwisg wych.'

Chwarddodd ei fam. 'Ti'n credu dy fod ti'n mynd i dwyllo unrhyw un fel'na?'

'Fel mae'n digwydd, mae dy brifathrawes di newydd roi swydd i mi.'

Syllodd Mrs Cacen arno. 'Fel athro?'

'Wrth gwrs.'

'Ond ti'n casáu plant. Wedest ti wrtha i taw cynrhon brwnt yw plant ac y dylen nhw gael eu berwi mewn olew.'

'Ti'n anghofio, Mami – mae gan y cynrhon yma bwerau arbennig,' meddai'r Gelyn Gwyrdd. 'Gyda'r arweiniad iawn, pwy a ŵyr beth allen nhw ei wneud?'

'Ti'n meddwl y gallen nhw fod yn archarwyr ryw ddydd?' gofynnodd Mrs Cacen?

Cododd y Gelyn Gwyrdd ei aeliau. 'Neu yn archdroseddwyr,' meddai.

Eisteddodd Mrs Cacen ar yr unig sedd oedd ar gael – sef y toiled.

'Pam lai? Meddylia am y peth,' meddai'r Gelyn Gwyrdd. 'Gyda byddin o arch-blant fe allen i wneud unrhyw beth. Gallen i gael gwared ar bobol dda fel Capten Carlam o'r byd. Fyddai dim stop arna i wedyn! **MWA HA HA!**'

Stopiodd chwerthin wrth i un o'i draed deimlo'n rhyfedd. Edrychodd i lawr a sylweddoli ei fod wedi sefyll mewn sosbannaid o datws stwnsh. Tynnodd ei droed allan yn swnllyd.

'Edrycha beth ti wedi'i wneud, y twpsyn!' dwrdiodd ei fam gan grafu'r tatws 'nôl i mewn i'r sosban. 'Mae 'na rywun arall all ddifetha dy gynlluniau di.'

'Pwy?'

'Miss Marblen. Hi yw prifathrawes yr ysgol yma.'

'Ddim am yn llawer hirach,' meddai'r Gelyn Gwyrdd. 'Mae gen i gynllun arbennig ar gyfer Miss Marblen. Dere gyda fi!'

Aeth y ddau ar wib ar hyd y coridorau gan adael llwybr o datws ar eu holau a Mrs Cacen yn brwydro i gario sosban fawr, drom. Yn y diwedd fe ddaethon nhw at ddrws du.

Agorodd y Gelyn Gwyrdd y drws ac aeth i mewn. Roedd yr ystafell yn dywyll ac yn llawn cysgodion a'r cyrtens ar gau. Roedd offer gwyddonol yn gwneud synau, a sŵn hymian yn llenwi'r lle. Ar y ddesg roedd rhywbeth wedi'i orchuddio â hen flanced lychlyd.

'Wyt ti'n barod?' gofynnodd y Gelyn Gwyrdd.

'Ydw, ond siapa hi. Dwi wedi dweud wrthot ti fod gen i bwdin reis i'w baratoi,' cwynodd ei fam.

'Edrycha ar hwn!'

Tynnodd y Gelyn Gwyrdd y flanced i ffwrdd.

Edrychodd Mrs Cacen ar y teclyn rhyfedd ar y ddesg. 'Rwyt ti wedi fy llusgo i'r holl ffordd yma ond er mwyn dangos sychwr gwallt i fi?' ebychodd.

'Dim sychwr gwallt yw hwn,' meddai'r Gelyn Gwyrdd. 'Mae hwn yn rhywbeth dwi wedi bod yn gweithio arno ers blynyddoedd. Dwi'n ei alw'n . . .

GAWRGRËWR!'

Cododd Mrs Cacen y teclyn a'i astudio'n fanwl.
'Beth mae'r switsh yma'n ei wneud?' gofynnodd.

'PAID Â CYFFWRDD Â HWNNA!' gwaeddodd ei
mab, gan ei lusgo o'r peiriant. 'Sefa draw fan'na ac

fe ddangosa i ti. Nawr 'te, dere weld – beth allwn ni arbrofi arno?'

Edrychodd o gwmpas y labordy a gweld cleren fach oedd wedi glanio ar y tatws ar ei droed. Cododd wydryn a chaethiwo'r gleren ynddo. Trawai'r gleren yn erbyn ochrau'r gwydryn wrth drio dianc.

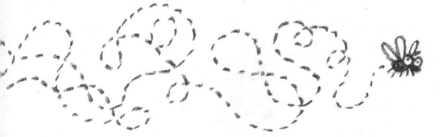

'Nawr 'te, mêt,' meddai'r Gelyn Gwyrdd. 'Sut hoffet ti gymryd rhan mewn arbrawf bach?'

Trodd y Cawrgrëwr ymlaen a'i anelu tuag at y gwydryn. Yn sydyn cododd sŵn y mwmian yn uwch yn yr ystafell. Roedd yn rhaid i Mrs Cacen roi ei dwylo dros ei chlustiau a symud yn ôl wrth i'w mab gwallgo droi'r deial, gan achosi i'r sŵn godi'n uwch eto.

Cleciai mellt o oleuni glas
drwy'r awyr wrth i'r gwydryn
ddechrau ysgwyd . . .

Pennod 7
Blewog
a Brawychus

Syllai Siôn yn ddwys ar wy brown ar ei blât.

'Dwyt ti ddim yn ei wneud e'n iawn,' meddai Ffion. 'Maen rhaid i ti ganolbwyntio.'

'Sut alla i ganolbwyntio tra bo ti'n siarad yn fy nghlust?' cwynodd Siôn.

Plygodd i lawr nes bod ei lygaid ar un lefel â'r wy a gwgodd arno'n grac. Roedd Miss Marblen wedi dweud wrthyn nhw y gallai unrhyw beth gael ei reoli gan ddefnyddio grym y meddwl, felly eu tasg gyntaf oedd symud yr wy heb ei gyffwrdd. Hyd yn hyn doedd neb yn y dosbarth wedi llwyddo er bod Tanc wedi llwyddo i wneud wy wedi'i sgramblo wrth eistedd ar un.

Ochneidiodd Siôn.
'Mae hwn yn amhosib!'

'Dyw hynny ddim yn gwbwl wir,' meddai Bari. 'Mae llawer o archarwyr yn gallu ei wneud e. Yr enw arno yw telecinesis.'

'Wel, tria di, os ti'n gwbod cymaint,' meddai Siôn.

Newidiodd Bari le gydag e. Tynnodd ei sbectol a mynd ar ei gwrcwd.

'Ti'n gweld! Symudodd e!' meddai'n llawn cyffro.

'Dim ond achos dy fod ti wedi symud y bwrdd,' meddai Ffion. 'Dwyt ti ddim i fod i bwyso arno.'

Camodd Bari tuag yn ôl gan syllu ar yr wy drwy'r adeg.

DDIM YN SYMUD

'Canolbwyntia'n galed iawn,' meddai Siôn.

'Dwi'n trio. Stopia fwmian, wnei di?' dwrdiodd
Bari.

Gwgodd Siôn. 'Dwi ddim yn mwmian.'

'Wel pwy sydd, 'te?'

'Paid ag edrych arna i,' meddai Ffion.

Gwrandawodd pawb yn astud. Roedd Siôn
yn gallu ei glywed nawr – mwmian isel fel sŵn
cleren. Cafodd Siôn y teimlad rhyfedd yn ei glustiau.
Edrychodd o gwmpas yr ystafell.

'Mae rhywbeth yn bod,' meddai.

'Ti'n dweud wrtha i! Mae di glustiau di wedi
troi'n binc,' ebychodd Ffion.

'Dyna beth maen nhw'n ei wneud pan mae
perygl. Rhaid i ni fynd o fan hyn,' meddai Siôn gan
edrych tuag at y drws.

Cododd y mwmian yn uwch, mor uchel nes bod pobol eraill wedi sylwi arno ac edrych o'u cwmpas yn syn. Roedd Miss Marblen yn meddwl mai nam ar y swits golau oedd yn achosi'r sŵn, ond deuai'r mwmian o'r tu allan i'r ystafell.

Daeth cnoc ar y drws gan roi braw i bawb.

'Ie? Dewch i mewn!' meddai Miss Marblen.

Ysgydwodd y drws.

'*Dewch i mewn*, ddywedes i!' meddai'r brifathrawes eto. 'Tanc, cer i agor y drws, wnei di?'

'NA!' rhybuddiodd Siôn. 'Miss, gallai fod yn beryglus!'

'Paid â bod mor wirion,' wfftiodd Miss Marblen.

Credai'r plant fod y drws ar fin chwalu. Roedd y mwmian yn fyddarol erbyn hyn ac yn llenwi'r ystafell. Roedd Tanc wedi cyrraedd y drws ac yn troi'r bwlyn. Neidiodd yn ei ôl â gwaedd wrth i rywbeth anferth wibio heibio i'w ben ac i mewn i'r ystafell.

Aeth y lle'n llanast llwyr wrth i blant sgrechian a rhedeg gan neidio o dan y byrddau a chwalu platiau ac wyau. Dim ond Miss Marblen arhosodd yn ei hunfan gan syllu'n syfrdan.

Roedd Siôn wedi gwasgu ei hun o dan ddesg gyda Bari a Ffion, yn gwrando ar y creadur anferth yn suo yn ôl ac ymlaen fel awyren isel.

'Beth yw'r peth yna?' ebychodd Siôn.

'Edrychais i ddim yn fanwl,' atebodd Bari,
'ond dwi'n meddwl mai cleren gyffredin yw hi.
Paid â phoeni – maen nhw'n ddiniwed fel arfer.'

'Dy'n nhw ddim fel arfer mor fawr â *honna*!'
meddai Ffion.

Peidiodd y sŵn yn sydyn. Syllodd Siôn uwchben

y bwrdd i weld a oedd y cawr-bryfyn wedi diflannu. Nac oedd. Roedd wedi glanio ar ddesg Miss Marblen, fel petai'n cynllunio beth i'w wneud nesa. Gallai Siôn weld ei goesau blewog, afiach a'i lygaid coch maint platiau cinio. Yr ochr draw i'r ystafell roedd Miss Marblen a'i chefn yn erbyn wal, yn ceisio cyrraedd y drws fesul modfedd. Tybiodd Siôn ei bod hi'n ceisio dianc i gael help. Ond sut allai hi fynd heibio i'r gleren anferth?

A'i galon yn curo'n gyflym aeth Siôn o dan y bwrdd i siarad â'r lleill.

'Rhaid i ni achub Miss Marblen,' meddai.

Syllodd Bari arno. 'Wyt ti'n gall? Beth allwn ni ei wneud?'

'Ti ddywedodd taw dim ond cleren gyffredin oedd hon,' meddai Ffion wrtho.

'Cleren gyffredin ANFERTH,' meddai Bari, 'sy'n siŵr o fod yn bwyta corynnod i frecwast.'

Cafodd Siôn syniad. 'Ie,' meddai, 'beth mae clêr yn ei fwyta?'

'Beth?'

'Ti yw'r un clyfar – beth mae clêr yn ei fwyta?'

Ceisiodd Bari feddwl yn galed. 'Pob math o bethau,' atebodd o'r diwedd. 'Siwgwr, bisgedi, unrhyw beth.'

'Beth am bethau gludiog?' holodd Siôn.

'Sa i'n gwbod – siŵr o fod,' meddai Bari.

Edrychodd Siôn allan eto. Doedd Miss Marblen ddim tamaid yn agosach at y drws gan fod silffoedd llyfrau mawr, trwm yn ei ffordd. Doedd dim sôn am y gleren. Yna gwelodd Siôn y gleren yn cropian ar y nenfwd. Gallai gipio'r brifathrawes a'i chario i ffwrdd yn hawdd.

Byddai'n rhaid iddyn nhw symud yn gyflym. Trodd Siôn at Ffion. 'Cer i nôl rhai o'r wyau a'u hanelu at ben y gleren,' meddai wrthi. 'Bari, dere di gyda fi!'

'Pam na alla i aros fan hyn?'

'Dere!'

Rhedodd y plant nerth eu traed. Hedfanodd y gleren o'r nenfwd fel awyren fomio. Sgrechodd Miss Marblen. Taflodd Ffion wy.

Trawodd yr wy y gleren ar ei thalcen.

SBLAT!

SBLAT! SBLASH! SBLAT!

Syrthiodd i'r llawr mewn sioc. Llifai melynwy gludiog o'i phen i mewn i'w llygaid. Swniai fel radio heb ei thiwnio wrth iddi gerdded a thuchan yr un pryd. Yna rhwbiodd ei choesau blaen yn erbyn ei gilydd a dechrau bwyta'r wy.

'Nawr!' gwaeddodd Siôn, gan annog Bari i'w helpu i wthio'r silffoedd. Crynodd y cyfan a syrthio'n glewt.

Tawelwch.

'YCH-A-FI!' meddai Ffion, gan wgu.

Fesul un, daeth gweddill y dosbarth allan o'u cuddfannau a syllu ar y pwll gludiog, melyn a lifai ar draws y llawr. Roedd dwy goes flewog, ddu i'w gweld o dan y silffoedd llyfrau. Eisteddodd Miss Marblen mewn cadair gan ymladd am ei hanadl a sychu wy oddi ar ei hwyneb.

'Diolch, Siôn,' ochneidiodd. 'Ro'n i'n gwbod y bydde'r silffoedd yna'n dod yn ddefnyddiol ryw ddydd. Falle gall rhywun nôl Mr Heini –'

Ond fe dorrodd Ffion ar ei thraws wrth iddi syllu drwy'r drws at y cyntedd. 'Miss Marblen,' meddai. 'Dewch i weld hwn.'

Pennod 8

Pys ym mhob Potes

Dilynodd y dosbarth Miss Marblen i'r coridor a syllu'n gegrwth. Roedd neges wedi'i thaenu mewn llythrennau mawr gwyrdd ar y wal:

FUDDI DI DDIM MOR LWCIS TRO NESA!

Erbyn hyn roedd sawl athro arall wedi cyrraedd ar ôl clywed y twrw mawr. Syllai pawb ar y neges hyll ar y wal.

'Mae hyn yn ofnadwy!' cyfarthodd Mr Heini, yr athro ymarfer corff. 'Arswydus!'

'Ydy, dwi erioed wedi gweld sillafu mor wael!' cytunodd Mrs Pwyth. 'Ai un ohonoch chi sgrifennodd hwn?'

Ysgydwodd y plant i gyd eu pennau. Roedd Miss Marblen yn astudio'r ysgrifen.

'Beth yw'r stwff 'ma?' gofynnodd wrth ei gyffwrdd. Aroglodd ei bys ac yna'i flasu.

'Pys,' meddai. 'Pys slwtsh. Dim ond un person allai fod wedi gwneud hyn.'

'Llysieuydd?' holodd Mrs Pwyth.

'Na – y Gelyn Gwyrdd. Edrychwch ar hwn ym mhapur heddiw.'

Dangosodd erthygl roedd hi wedi'i chadw ers y bore.

Darllenodd Mrs Pwyth yr erthygl. *'Mae'r heddlu wedi rhyddhau llun o'r Gelyn Gwyrdd – yr archdroseddwr cas sydd wedi dianc o Garchar Llwyn-du . . . Nefi wen! Ydych chi'n credu taw ei waith e yw hyn, brifathrawes?'*

'Pwy arall fyddai'n ysgrifennu bygythiad fel'na â phys slwtsh?' meddai Miss Marblen.

Cafodd y darn o'r papur newydd ei basio o law i law er mwyn i bawb gael gweld y llun.

'YCH!' ebychodd Siôn. 'Am hyll!'

'Glywes i ei fod e'n eitha golygus,' meddai llais o'r cefn.

Trodd pawb i weld y dyn tal a wisgai sbectol werdd oedd newydd gyrraedd yng nghwmni Mrs Cacen, y fenyw ginio.

'A, dyma Mr Roli Penoli,' meddai Miss Marblen. 'Rydym yn ffodus iawn ei fod yn mynd i ymuno â ni yn Ysgol y Nerthol.'

Gwenodd Bari ar Siôn. 'Roli Penoli?'
chwarddodd.

'Mae e'n edrych yn rhyfedd,' gwgodd Ffion.

Pwyntiodd Miss Marblen at y neges ar y wal.
'Be wnewch chi o hyn, Mr Penoli?' gofynnodd.
'Wyddoch chi rywbeth am y Gelyn Gwyrdd?'

'A dweud y gwir, dwi'n gwbod y cwbwl
amdano,' atebodd yr athro.

'Fe ddylet ti,' meddai Mrs Cacen.

Edrychodd Penoli arni'n oeraidd. 'Nac oes gwaith 'da ti i'w wneud?' gofynnodd. *Yn y gegin?*'

'Mae'n dibynnu,' cwynodd Mrs Cacen. 'Ydyn ni'n cael cinio heddiw neu beidio?'

Ysgydwodd Miss Marblen ei phen. 'Sori, Mrs Cacen, ond ry'n ni braidd yn brysur ar hyn o bryd,' atebodd. 'Hoffen i i bawb ymgasglu yn y neuadd.'

Aeth pawb i brif neuadd yr ysgol. Safodd Siôn gyda'i ffrindiau yn un o'r rhesi blaen er mwyn iddo gael golygfa dda. Teimlodd wefr o gyffro.

Am ddiwrnod cyntaf! Roedd eisoes wedi helpu i ddiarfogi Peiriant Taflegrau ac wedi goroesi ymosodiad gan gleren anferth. Roedd hyn yn bendant yn fwy cyffrous na gwrando ar Mrs Horocs yn adrodd tabl saith.

Siaradodd Miss Marblen yn fyr am y pwysigrwydd o beidio â chynhyrfu o dan bwysau, cyn gwahodd yr athro newydd i ddweud gair.

Cliciodd Mr Penoli fotwm ar y teclyn remôt a daeth llun mawr o'r Gelyn Gwyrdd ar y sgrin.

'Gwyliwch yn ofalus,' meddai Roli Penoli. 'Dyma'r athrylith cas ry'ch chi'n ei wynebu – un o'r troseddwyr mwyaf erioed.'

Cododd Bari ei law. 'Sut nad ydw i wedi clywed amdano, felly?' gofynnodd.

'Am dy fod ti'n fachgen bach gydag ymennydd maint cneuen,' atebodd yr athro. 'Nawr, beth y'n ni'n ei wbod am y meistr troseddol hwn? Yn gynta, mae e'n eithriadol o glyfar; yn ail, mae e'n feistr ar guddio; yn drydydd, dyw e ddim wedi cael ei ddal eto.'

Saethodd llaw i'r awyr. 'Ro'n i'n meddwl bod y papurau'n sôn ei fod wedi dianc o'r carchar.'

'Os wyt ti'n am fod yn fanwl gywir, Mistar Crwt Clyfar, cafodd ei ddal unwaith,' meddai'r athro. 'Ond anlwc oedd yn gyfrifol am hynny a chael fy . . . ymm . . . *ei* glogyn yn sownd mewn drws lifft.'

Pwyntiodd yr athro at lun ar y sgrin. 'Dyw archdroseddwyr ddim yn edrych fel pawb arall. Sylwch ar y mwgwd, y wisg werdd a'r clogyn anhygoel – dylai'r pethau hyn roi ryw syniad i chi. Ond fel y dywedais yn gynharach, mae e'n feistr ar guddio. Fe allai fod wedi'i wisgo fel glanhawr ffenestri neu ddyn sy'n gwerthu hufen iâ. Gall edrych fel eich mam-gu, hyd yn oed. Rhaid i chi drystio neb ac amau pawb.'

Edrychodd Slôn o amgylch y neuadd.

'Diolch, Mr Penoli,' meddai Miss Marblen, gan godi ar ei thraed. 'Does dim amheuaeth fod yn rhaid i ni fod yn wyliadwrus. Mae'r Gelyn Gwyrdd wedi ymosod arnon ni unwaith ac wedi bygwth gwneud eto. Dwi eisiau dau aelod o staff ar ddyletswydd bob amser. Dwi eisiau gwbod am unrhyw un sy'n edrych yn amheus – yn enwedig os ydyn nhw'n gwisgo mwgwd. Mr Penoli, oeddech chi am ddweud rhywbeth arall?'

'Oeddwn, brifathrawes,' meddai Roli Penoli. 'Os galla i wneud awgrym, pam aros i'r Gelyn

PAID Â BOD YN DDA

BYDD YN

Y GELYN GWYRDD

DISGRIFIAD: Tenau, gwyrdd, cas

PWERAU ARBENNIG: Rheolaeth ar lysiau

UCHELGAIS: Gorchfygu'r byd – neu gyflwyno ei sioe ei hun ar y teledu

CRYFDERAU: Clyfar tu hwnt, meistr cuddwisgo

GWENDIDAU: Dim

GRADDFA CASINEB: 62
(i'w drafod)

Gwyrdd ddod atoch chi?'

'Sori, sa i'n deall,' meddai Miss Marblen.

'Wel, edrychwch o'ch cwmpas,' meglurodd yr athro. 'Mae'r holl archarwyr ifanc, clyfar yma'n awyddus i wneud eu marc. Pam na anfonwch chi nhw i chwilio amdano? Gadael iddyn nhw ddod o hyd i'r cnaf hwn er mwyn iddo gael ei haeddiant.'

Cododd Siôn ei law. 'Ond beth os yw e yma'n barod?' meddai. 'Yn cuddio yn yr ysgol?'

Chwarddodd Penoli yn nerfus. 'O, dwi ddim y meddwl bod hynny'n debygol.'

'Pam lai?' holodd Mrs Cacen. 'Fe allai fod wedi cyrraedd gyda'r bocs bresych.'

Rhoddodd yr athro daw arni gydag un edrychiad cas. 'Credwch chi fi, dyma'r lle ola y byddai'n cuddio. Os dwi'n adnabod y Gelyn Gwyrdd, mae e allan yna'n rhywle yn ei guddfan ddirgel.'

Ymhen dim roedd Miss Marblen yn brysur yn trefnu grwpiau o ddisgyblion er mwyn iddyn nhw chwilio gwahanol rannau o'r dref. Arhosodd Siôn a Ffion eu tro.

'A, Siôn,' meddai'r brifathrawes. 'Mae gen i dasg arbennig iawn i ti a dy ffrindiau.'

'Wir?' holodd Siôn. 'Ddylen ni wisgo ein gwisgoedd newydd?'

'Mae croeso i chi wneud,' gwenodd Miss Marblen. 'Falle ân nhw'n frwnt, cofia.'

Pennod 9
Gludiog

Golchodd Bari ei fop yn y bwced. 'Dyw hi ddim yn deg,' cwynodd. 'Pam ddewisodd hi ni?'

'Taset ti'n gwneud mwy o fopio a llai o gwyno, falle allen ni orffen ynghynt,' meddai Ffion.

Brwsiodd Siôn ddarnau o blisgyn wy mewn pentwr. Pan ddywedodd Miss Marblen fod ganddi dasg bwysig ar eu cyfer doedd e ddim wedi disgwyl mai glanhau'r ystafell ddosbarth roedd hi'n ei feddwl. Roedd gweddill yr ysgol yn y dref yn chwilio am y Gelyn Gwyrdd, tasg oedd yn swnio'n llawer yn fwy cyffrous na golchi wy wedi sychu a chleren wedi'i gwasgu oddi ar lawr gludiog.

'Sgwn i o ble ddaeth y gleren yna?' meddai Siôn.

'Mae clêr ym mhobman,' atebodd Bari.

'Ie, ond sut dyfodd hi mor fawr?' holodd Siôn.

'Paid â gofyn i fi,' meddai Bari. 'Wedi bwyta gormod o gacen falle.'

'Alli di ddim mynd mor fawr â hynny jyst drwy fwyta cacen.'

'Ti ddim wedi cwrdd â fy nain, felly!' chwarddodd Bari.

Trodd Ffion i'w wynebu. Am y pum munud diwethaf roedd hi wedi bod yn syllu'n ofidus drwy'r ffenest. 'Oes unrhyw un wedi gweld Pwdin?' gofynnodd.

'Na, pam?' meddai Siôn.

'Gadewais i fe ar yr iard, ond alla i ddim ei weld e'n unman nawr.'

'Paid â phoeni,' meddai Siôn. 'Mae e'n siŵr o fod wedi mynd ar ôl cath neu rywbeth,' meddai Siôn.

'Mae arno ofn cathod.'

'O. Wel, mae'r gatiau wedi'u cloi, ta beth. Beth allai ddigwydd iddo fe?'

I lawr yn y gegin roedd sosban fawr o bwdin reis yn ffrwtian ar y stof. Tynnodd y Gelyn Gwyrdd ei fwgwd dros ei ben a throi yn yr unfan gan droelli ei glogyn.

'Sut ydw i'n edrych?' gofynnodd.

'Fel gwsberen fawr werdd,' meddai Mrs Cacen. 'Dere â chusan i fi!'

'Na, Mami!' gwgodd yr archelyn. 'Does 'da fi ddim amser i'w golli. Maen nhw i gyd ar y strydoedd yn chwilio amdana i.'

'Ond dwyt ti ddim ar y strydoedd, siwgwr lwmp,' meddai ei fam.

'Wrth gwrs nad ydw i. Dyna oedd fy nhric i'w cael nhw mas o'r ysgol. Nawr does neb ar ôl ond Miss Marblen. Ha ha ha!'

'A fi,' meddai Mrs Cacen.

'Ie, iawn, a ti.'

'A'r tri phlentyn yna weles i funud yn ôl.'

'BETH?' gwaeddodd y Gelyn Gwyrdd. 'Ro'n i'n meddwl eu bod nhw wedi mynd allan.'

'Ro'n i'n meddwl hynny hefyd, cariad, ond weles i nhw yn y dosbarth yn mopio'r llawr.'

'Damo!' cwynodd y Gelyn Gwyrdd. 'Iawn, wna i ddelio â nhw nes 'mlaen.'

Ychwanegodd Mrs Cacen ragor o bupur at y pwdin reis. 'Nawr, dwmplen, dwyt ti ddim yn mynd i wneud unrhyw beth drwg, wyt ti?' gofynnodd.

'Paid â bod yn dwp, Mami. Pasia'r Cawrgrëwr.'

Chwiliodd Mrs Cacen o'i chwpas a dod o hyd i'r teclyn o'r diwedd o dan liain sychu llestri tamp. Sychodd e a'i roi i'w mab.

'Dwi'n gobeithio nad ydyn ni'n mynd i gael rhagor o glêr,' meddai. 'Maen nhw'n cario germau.'

'Paid â phoeni,' meddai'r Gelyn Gwyrdd. 'Rhybudd oedd y gleren – rhagflas o'r hyn sydd i ddod. Y tro hwn fydd y brifathrawes benchwiban yna ddim yn gallu dianc mor hawdd.'

'Ond, cariad, dwyt ti ddim yn mynd i wneud niwed iddi, wyt ti?'

Chwarddodd y Gelyn Gwyrdd. 'Wrth gwrs nad ydw i, Mami. Dwi ddim yn mynd i wneud niwed i unrhyw un. Nawr, beth fydd e'r tro hyn? Corryn? Na, rhywbeth mwy, dwi'n meddwl . . .' Cododd ei law. 'Aros! Beth oedd y sŵn yna?'

'Y pwdin reis yn ffrwtian?' awgrymodd Mrs Cacen.

'Na, dim hwnna – mae rhywun yn dod!' meddai'r Gelyn Gwyrdd. 'Gyflym, cuddia! Na, a dweud y gwir, fe guddia i. Sefa di fan hyn a thrio ymddwyn yn normal.'

Aeth y Gelyn y tu ôl i'r drws ac aros. Cydiodd

Mrs Cacen mewn llwy bren a'i dal fel dagr, gan drio
edrych yn normal. Daliodd y ddau ohonyn nhw eu
hanadl a gwrando.

GWICH...
GWICH!

Roedd rhywun yn dod i lawr y grisiau. Pwy
bynnag oedd yno, roedd yn ceisio cerdded yn dawel
ond ddim yn llwyddo. Clywodd y Gelyn Gwyrdd
wichian a churo a sŵn anadlu trwm. Cydiodd yn y
Cawrgrëwr, er na fyddai'n ddefnyddiol iawn o dan
yr amgylchiadau. Os taw'r heddlu oedd yna byddai
un ergyd yn eu troi'r heddweision anferthol â thraed
maint 22.

Daeth y curo'n agosach, yna stopiodd. Roedd y tresmaswr i'w glywed yn anadlu'n drwm y tu allan i'r drws. Symudodd Mrs Cacen tuag yn ôl gan fygu'r ysfa i sgrechian. Agorodd y drws yn araf.

Daeth rhywbeth i mewn i'r ystafell a sefyll yno a'i dafod yn hongian o'i geg.

'O, edrych!' meddai Mrs Cacen, gan fynd yn ei chwrcwd. 'Druan bach! Mae'n rhaid ei fod e ar goll.'

Daeth y Gelyn Gwyrdd allan o du ôl y drws. 'Ie wir,' meddai. 'Dyna lwcus ei fod wedi ffeindio ei ffordd i lawr i fan hyn. Caea'r drws, Mami.'

Roedd golwg filain yn ei lygaid wrth iddo fyseddu'r Cawrgrëwr a throi'r deial o MAWR i MAWR IAWN i ANFERTH.

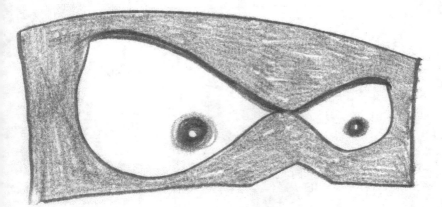

Edrychodd ei fam arno. 'Cariad! Fyddet ti byth yn mentro gwneud hynna!'

Atseiniai llais Ffion ar hyd y coridor. Roedd tri o'r Dewrion wedi bod yn chwilio am hanner awr, ond doedd dim sôn am bedwerydd aelod o'r criw.

Ochneidiodd Siôn. 'Fe allai fod yn unrhyw le. Falle ei fod wedi mynd adre.'

'Dyw e byth yn mynd adre – ddim hebdda i,' meddai Ffion.

'Mae e'n siŵr o fod eisiau bwyd,' awgrymodd Bari. 'Dwi'n llwgu.'

Doedd dim sôn am ginio o hyd nac am Mrs Cacen, oedd wastad yn gweini bwyd yn y ffreutur. Â phawb allan yn y dre roedd yr ysgol i'w gweld yn hollol wag. Agorodd Ffion y drws ac edrych o gwmpas y dosbarth gwag cyn ei gau eto.

'Dwi ddim yn gwbod pam wyt ti'n poeni,' meddai Siôn. 'Ti wastad yn dweud ei fod yn gi rhyfeddol.'

'*Mae* e'n gi rhyfeddol,' atebodd Ffion, 'ond mae e'n cael ofn os nad ydw i gydag e.'

'Ofn beth?'

'Wel, corynnod yn un peth.'

'Corynnod?' meddai Bari.

'Nid corynnod yn unig ond gwiwerod, adar, clychau, taranau, larymau – mae e mor sensitif.'

'Dyw e ddim yn gall,' mwmialodd Bari.

Roedd Siôn wedi cerdded yn ei flaen ac roedd ar ei liniau'n astudio rhywbeth ar y llawr. Rhwbiodd ei glust chwith am ei fod yn cosi. 'Oes traed mawr gan Pwdin?' gofynnodd.

'Nac oes. Pam?'

'Mae'r marc yma'n edrych fel ôl pawen ci. Ond gall e ddim â bod – mae'n rhy fawr o lawer.'

Ymhellach ar eu taith daethon nhw o hyd i ragor o olion traed mwdlyd fel y rhai cynta. Roedden nhw'n mynd tuag at y brif neuadd. Crafodd Siôn ei glust eto.

'Rho'r gorau i wneud hynna,' meddai Bari.

'Sori, alla i ddim peidio,' meddai Siôn. 'Mae'n cosi. Falle dylen ni fynd i moyn Miss Marblen.'

'Pam?' gofynnodd Ffion.

'Sa i'n gwbod. Mae rhywbeth yn fy mhoeni.'

'Dim ond Pwdin yw e. Sdim ei ofn e arna ti, oes e?'

'Nac oes,' meddai Siôn. 'Ond mae fy nghlustiau i'n nerfus.'

Ochneidiodd Ffion. 'Wel, croeso i ti moyn Miss Marblen os wyt ti eisiau, ond dwi'n mynd i chwilio am Pwdin,' meddai, gan fynd yn ei blaen tuag at y neuadd. Edrychodd Siôn a Bari ar ei gilydd cyn

ei dilyn hi. Doedden nhw ddim wedi mynd yn bell pan glywson nhw sŵn byddarol a wnaeth iddyn nhw sefyll yn stond.

'Ai ci oedd hwnna? Doedd e ddim yn swnio fel ci,' meddai Bari.

Roedd Ffion wedi dechrau rhedeg i gyfeiriad y sŵn. Dilynodd Siôn Bari a rhuthrodd y tri i mewn i'r neuadd. Rhewodd y criw yn y fan a'r lle.

'O, na!' meddai Siôn. 'Dyw hyn ddim yn dda!'

Trodd Pwdin ei ben anferth tuag atyn nhw. Doedd e ddim yn gi bach brown mwyach. Nawr roedd e'n gi ANFERTH brown, yn fwy na theigr a dwywaith mor llwglyd. Llusgai ei dennyn ar hyd y llawr.

'GRRRR!' chwyrnodd.

'Pwds bach?' meddai Ffion yn ofnus. 'Wyt ti wedi bod yn bwyta gormod o fisgedi eto?'

Cymerodd Pwdin gam tuag atyn nhw ond tynhaodd y tennyn o gwmpas ei wddf. Camodd ffigwr tal mewn mwgwd allan o'r cysgodion. Roedd yn gwisgo dillad gwyrdd o'i gorun i'w sawdl ac roedd ganddo glogyn hir oedd yn hongian at y llawr. Roedd tennyn Pwdin ganddo yn un llaw a daliai rhywbeth oedd yn edrych fel gwn peryglus neu sychwr gwallt yn y llaw arall. Roedd arogl bresych arno.

'Tl!' meddai Siôn. 'Ti yw'r un yn y papur – Gwylan Gwyrdd!'

'Y Gelyn Gwyrdd!' gwaeddodd y dyn drwg. 'Ie, y ffyliaid, fi sydd o'ch blaenau. Dihiryn rhif 42 ar restr yr archdroseddwyr mwyaf peryglus erioed.'

'Beth wyt ti wedi'i wneud i Pwdin?' gwaeddodd Ffion.

'Pwdin?' holodd y Gelyn Gwyrdd. 'Ai sôn am Dannedd wyt ti, fy anifail anwes newydd?'

'Nid Dannedd yw ei enw,' atebodd Ffion yn ddewr. 'Fy nghi i yw e a dim ond arna i mae e'n gwrando.'

'Wir?' Gwenodd y Gelyn Gwyrdd yn oeraidd. 'Dewch i ni weld.'

Gollyngodd y Gelyn dennyn Pwdin a phwyntio at y plant. 'CER AMDANYN NHW, DANNEDD!' gwaeddodd.

Rhedodd Pwdin yn ei flaen gan chwyrnu'n isel a chas. 'GRRRRR!'

Aeth ias drwy Siôn a dechreuodd ei glustiau gosi wrth iddo sleifio tuag at y drws.

'Siôn,' meddai Bari mewn llais crug, 'dwi'n credu y dylen ni . . . ti'n gwbod . . .'

REDEG!

'Yn gwmws.'

Rhedodd y tri. Cyrhaeddodd Siôn y coridor yn gynta, gan sglefrio ar y llawr llithrig.

Disgynnodd briciau a phlastr wrth i'r ci anferth lamu o'r neuadd gan fynd â'r drws gydag e. Gwyrodd Siôn i'r dde gan redeg am ei fywyd i lawr y coridor.

Yn sydyn daeth llaw o rywle a chydio yn ei fraich. Cafodd ei lusgo i mewn i ystafell a glaniodd Ffion a Bari ar ei ben.

'WAA! OWW!'

Fe glywson nhw sŵn y drws yn cloi a gweld cysgod yn troi i'w hwynebu.

Pennod 11

Cynllun Gwych

'Miss Marblen, chi sy 'na!' meddai Siôn.

'Wrth gwrs taw fi sy 'ma! Beth am i un ohonoch chi egluro beth yn y byd sy'n digwydd?' holodd y brifathrawes.

'Pwdin sy yno!' meddai Ffion. 'Mae e'n anferth ac yn rhedeg ar ein holau.'

Roedd Miss Marblen wedi drysu. 'Mae 'na bwdin ar eich holau?'

'Na. Pwdin yw fi nghi i,' eglurodd Ffion.

'A pham mae e'n rhedeg ar eich holau?'

Esboniodd y tri gyda'i gilydd y sefyllfa mor gyflym â phosib. Gwrandawodd Miss Marblen gan chwarae â'i sbectol. Edrychai'n fwy ac yn fwy gofidus.

'Chi'n dweud wrtha i fod y Gelyn Gwyrdd *yma*?' gofynnodd. 'Ydych chi'n siŵr?'

'Ydyn. Welson ni fe,' meddai Siôn. 'Mae e mas fan'na nawr . . .'

Daeth sŵn crash uchel gan roi braw i bawb.
Yna daeth sŵn gwydr yn torri a chyfres o ergydion o
ben draw'r coridor. Roedd Pwdin y cawr ar ei ffordd.

'MISS MARBLEN,' gwaeddodd llais uchel.

Rhododd y brifathrawes ei bys ar ei gwefusau.

'Dwi'n gwbod eich bod yn cuddio,' gwaeddodd y Gelyn Gwyrdd. 'Dewch allan a dwi'n addo caiff y plant fynd yn rhydd.'

Ysgydwodd Siôn ei ben. 'Peidiwch â'i gredu e,' sibrydodd.

Daeth sŵn oedd yn debyg i wal yn syrthio.

'Dwi ddim yn credu bod llawer o ddewis gyda ni,' meddai Miss Marblen.

'Falle fod,' meddai Bari. 'Edrychwch ar hwn!'

Roedd wedi codi copi o'r **Canllaw i Archarwyr** o ddesg Miss Marblen. Roedd ar agor ar bennod 15 . . .

15

SUT I YMLADD BWYSTFIL BARUS A GOROESI

Rydym i gyd, siŵr o fod, wedi bod yn y sefyllfa yma rywbryd neu'i gilydd. Un funud rydych yn cerdded i lawr y stryd yn meddwl am gacennau hufen a'r nesa rydych yn wynebu creadur â thri phen a llygaid enfawr sydd eisiau eich bwyta'n fyw.

Y peth pwysig i'w gofio pan ddowch chi wyneb yn wyneb â bwystfil gwyllt yw PEIDIO Â CHOLLI ARNOCH. Yn gyntaf, ystyriwch y ffeithiau . . .

1. Mae bwystfilod yn fwy na chi.
   (Mae'r cliw yn y gair 'bwystfil'.)

2. Mae bwystfilod yn gryfach na chi.

3. Prif hobïau bwystfilod yw rhuo, rhwygo a bwyta. Dyw taflu pren er mwyn iddyn nhw redeg ar ei ôl ddim yn mynd i weithio – a chredwch chi fi, dwi wedi trio hyn.

Felly, beth allwch chi ei wneud? Dyma ambell awgrym . . .

A. Rhedeg.

B. Cuddio.

C. Rhedeg A chuddio.

Ch. Meddwl am gynllun perffaith.

Yn anffodus, mae pwynt CH yn drech na llawer o archarwyr. Felly, pob lwc a chofiwch: po uchaf y pren, fwyaf y cwymp.

'Hy! Dyw hwnna'n fawr o werth!' meddai Bari, gan gau'r llyfr yn glep.

'Ond mae'n iawn,' meddai Siôn. 'Y cwbwl sydd ei angen arnon ni yw cynllun perffaith!'

'O wel – pam na ddywedes di hynny o'r blaen?' meddai Bari.

Ond roedd Siôn yn cerdded 'nôl ac ymlaen, yn siarad fel pwll y môr. 'Y'ch chi'n cofio'r peth 'na oedd yn llaw y Gelyn Gwyrdd?' holodd.

'Tennyn Pwdin?' gofynnod Ffion.

'Na, y peth arall. Y teclyn clyfar. Fentra i taw hwnna oedd wedi gwneud y gleren yn enfawr.'

'Wyt ti'n credu iddo'i ddefnyddio ar Pwdin hefyd?' holodd Ffion.

'Ydw,' atebodd Siôn. 'Felly, mae'n syml. Y cwbwl sy'n rhaid i ni ei wneud yw cael gafael ar y peiriant yna.'

'Ond sut?' gofynnodd Ffion.

Trodd Siôn at y brifathrawes. 'Bydd angen
i ni fenthyg eich sbectol, a'ch ffrog, miss,' meddai.
'O, a wig – os oes un gyda chi.'

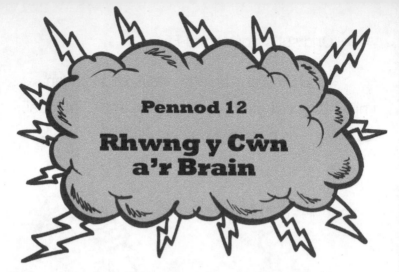

Pennod 12

Rhwng y Cŵn a'r Brain

Bum munud yn ddiweddarach, roedd y Dewrion wedi sleifio allan i'r coridor tywyll. Doedd dim sôn am Pwdin y bwystfil na'i feistr newydd, dieflig. Aethon nhw yn eu blaenau'n dawel a gofalus, oni bai am Bari, oedd yn gwneud digon o sŵn i ddeffro'r meirw.

'Alli di gerdded yn fwy tawel?' dwrdiodd Siôn.

'Y sgidie yma sy ar fai,' cwynodd Bari. 'Pam taw fi sy wedi gorfod gwisgo fel menyw?'

'Paid â chwyno,' meddai Ffion. 'Dwi'n meddwl dy fod yn edrych yn bert iawn – on'd yw e, Siôn?'

'O ydy,' cytunodd Siôn. 'Petawn i'n ddyn oedd

yn methu gweld yn dda mae siawns y bydden i'n dy
ffansïo di.'

Gwgodd Bari a sythu ei wig. Roedd yn symud
fel jiráff mewn esgidiau sglefrolio.

'Alla i ddim gweld sut mae hwn yn mynd i weithio,' cwynodd.

'Dwi wedi dweud wrthot ti. Isie Miss Marblen mae e,' eglurodd Siôn. 'Felly byddi di'n gallu mynd yn agos ato.'

'Dwi ddim isie mynd yn agos ato,' cwynodd Bari.

'Fyddi di'n iawn,' meddai Siôn. 'Paid â phoeni – byddwn ni'n dy helpu di.'

Ochneidiodd Bari. O bob cynllun dan haul, hwn oedd y gwaetha.

Cododd Siôn ei law. Roedd ei glustiau wedi dechrau cosi . . .

Y funud nesa, syrthiodd y wal ym mhen draw'r coridor. Daeth pen anferth Pwdin drwy'r twll roedd wedi'i greu. Dringodd dros y briciau ac i mewn i'r coridor gan lusgo'r Gelyn Gwyrdd, oedd yn ceisio dal yn sownd yn ei dennyn.

'O na,' meddai Bari dan ei anadl. 'Peidiwch edrych nawr ond maen nhw'n dod.'

'Pwylla,' meddai Siôn. 'Cofia nad yw archarwyr yn rhedeg bant os oes cynllun perffaith gyda nhw.'

'Hyh! Tria di redeg yn y sgidie hyn,' cwynodd Bari.

Daeth Pwdin yn nes. Roedd ei gorff blêr, enfawr fwy neu lai yn llenwi'r coridor. Ysgydwai ei gynffon gan achosi i lun syrthio oddi ar y wal a'i wydr i dorri'n deilchion.

Tynnodd y Gelyn Gwyrdd ar y tennyn er mwyn dal Pwdin yn ôl. 'Pwylla, 'mach i. Daw dy gyfle di eto,' meddai wrth y ci.

Daeth y ddau griw benben â'i gilydd yn y coridor cul.

'Felly, Miss Marblen, benderfynoch chi ddod?' gwenodd y Gelyn Gwyrdd.

Rhoddodd Siôn broc i Bari. 'Mae e'n siarad â ti, Brêns! Dwed rhywbeth!'

'Ym, helô, sut wyt ti?' gwichiodd Bari mewn llais main.

Culhaodd llygaid y Gelyn Gwyrdd. Roedd rhywbeth yn rhyfedd am y brifathrawes. Roedd hi fel pe bai'n fyrrach ers y cyfweliad ac roedd ei gwallt yn edrych fel nyth aderyn. Dim ots – cyn hir byddai wedi cael gwared ar yr hen wrach er mwyn rhoi ei gynllun ar waith.

Yn gyntaf byddai'n gorchfygu Ysgol y Nerthol a'i hailenwi'n Ysgol Gas y Gelyn. Unwaith y byddai wedi cael gwared ar y rhai gwannaf, byddai'n hyfforddi ei fyddin o archdroseddwyr – a dim ond y dechrau fyddai hynny. Cyn hir byddai'n rheoli'r dre fach bathetig hon, yna'r wlad ac yn y pen draw . . .

Y BYD!

'Pardwn?' holodd Siôn.

'Jyst jôc,' meddai'r Gelyn Gwyrdd. 'Nawr, pam na ewch chi blant bach 'nôl i'ch dosbarth a gadael i'r oedolion drafod pethau pwysig.'

'Byth,' bloeddiodd Siôn. 'Ni yw'r Dewrion ac ry'n ni yma i dy rwystro di.'

'O, rhowch y gore i ryw areithiau arwrol,' meddai'r Gelyn Gwyrdd gan ochneidio. 'Rhowch Miss Marblen i fi a chaiff neb niwed.'

Ystyriodd Siôn ei eiriau. 'Wyt ti'n addo?'

'Ar fywyd fy mhysgodyn aur,' meddai'r Gelyn Gwyrdd.

Trodd Siôn at Bari a gostwng ei lais. 'Cofia, y cwbwl sy raid i ti ei wneud yw cael gafael yn y teclyn 'na.'

'Ond beth am Pwdin?' holodd Bari.

Plethodd y Gelyn Gwyrdd ei freichiau yn ddiamynedd. 'Dewch yn eich blaenau! Dwi'n cyfri i dri. Un . . .'

'Cer 'mlaen,' meddai Siôn.

'Dau . . .'

Cerddodd Bari yn ei flaen yn nerfus yn ei sodlau uchel, a'i galon yn curo'n galed. Gallai weld Pwdin yn aros yn awchus amdano, yn tynnu ar ei dennyn. Byddai Bari wedi rhoi unrhyw beth i feddu ar archbwer ddefnyddiol yr eiliad honno – fel bod yn anweledig. Oedodd.

'Wel?' meddai Bari. 'Wnest ti addewid na fyddai neb yn cael niwed – ar fywyd dy bysgodyn aur.'

'Do,' gwenodd y Gelyn Gwyrdd. 'Ond does dim pysgodyn aur 'da fi.'

Llaciodd ei afael ar dennyn y ci.

'Amser swper, Dannedd!' cyhoeddodd.

Carlamodd Pwdin oddi wrtho, yn rhydd o'r diwedd. Symudodd Bari tuag yn ôl wrth i anadl y ci ei daro yn ei wyneb.

'Siôn, gwna rywbeth!' llefodd Ffion.

Plygodd Pwdin ei ben, agor ei geg enfawr a . . .

SLYRP!

Sychodd Bari boer y ci oddi ar ei wyneb.

'Yr hen fwngrel twp!' gwaeddodd y Gelyn Gwyrdd. 'Ddwedes i wrthot ti am ymosod, nid llyfu!'

'Wedes i taw fy nghi i oedd e, yn do?' meddai Ffion.

'Felly, Mr Gwyrdd, mae'n edrych fel pe bai dy gynllun cas di wedi methu,' meddai Siôn.

'Ffyliaid!' cyfarthodd y Gelyn Gwyrdd. 'Ry'ch chi'n meddwl y gallwch fy nhrechu i – yr archdroseddwr gorau erioed? Ddim tra bod hwn yn dal gen i!'

'Sychwr gwallt?'

'Paid â bod mor ddwl. Hwn yw'r Cawrgrëwr. Y cyfan sy raid i fi ei wneud yw cyffwrdd â'r deial er mwyn troi unrhyw beth yn enfawr. Ha ha ha!'

'Grêt!' meddai Siôn. 'Beth taset ti'n ei droi y ffordd arall?'

'Ie,' cytunodd Siôn. 'Efallai na fydd e'n gweithio.'

'Ha! Gawn ni weld am hynny!'

'Pwdin!' gwaeddodd Ffion, â'i breichiau ar led. Rhedodd y ci ati a'i gynffon yn ysgwyd.

Syllodd y Gelyn Gwyrdd yn syn. Roedd y 'Miss Marblen' a sefai o'i flaen wedi colli ei wig. Unwaith eto roedd wedi'i dwyllo, a'r tro hwn gan griw o arch-blant pitw. Ond nid oedd ar ben arno. Roedd ei declyn arbennig yn dal ganddo.

SWWWWSH!

Yn sydyn daeth ffrisbi drwy'r awyr a tharo'i law gan wneud iddo ollwng y Cawrgrëwr o'i afael.

Siôn oedd y cynta i ddal y teclyn. 'Nawr,' meddai gan ei bwyntio tuag at y Gelyn Gwyrdd.

'Sgwn i beth ddigwyddith os wasga i'r botwm hwn.'

Pennod 13
Blewog

Y diwrnod canlynol, gofynnwyd i'r Dewrion fynd i swyddfa Miss Marblen.

'Wel,' meddai'r brifathrawes, gan ddiffodd ei ffôn. 'Dwi newydd siarad â'r heddlu ac wedi rhoi disgrifiad manwl iddyn nhw o'r Gelyn Gwyrdd.'

'Dwi'n dal ddim yn deall sut y llwyddodd i ddianc,' meddai Siôn. 'Un funud roedd e yna a'r funud nesa roedd e wedi mynd.'

'Peidiwch â phoeni. Dwi'n siŵr na fydd e wedi mynd yn rhy bell,' meddai Miss Marblen. 'Y prif beth yw fod ei gynllun drwg wedi methu, a diolch i chi'ch tri, mae'r ysgol yn ddiogel. Gallwn barhau â'n bwriad i hyfforddi archarwyr y dyfodol. A dyna pam ro'n i am eich gweld chi. Dwi'n credu taw'r peth lleiaf ry'ch chi'n ei haeddu yw gwobr.'

'Gwobr?' meddai Siôn gan bwyso ymlaen yn eiddgar.

'Ie,' atebodd Miss Marblen, gan agor dror ei desg. 'Dwi wedi gofyn i Mrs Cacen bobi'r gacen arbennig yma i chi.'

Tynnodd gacen werdd-frown allan o'r drôr a thorri darn mawr yr un iddyn nhw.

'Mmm . . . ych . . . ymm,' meddai Siôn, wrth drio cnoi'r gacen.

Gwgodd Ffion a phoeri deilen soeglyd ar ei phlat. 'Ych! Beth sydd yn hon?' gofynnodd.

'Dwi ddim yn hollol siŵr,' meddai Miss Marblen. 'Dwi'n meddwl mai rysáit newydd oedd hi, rhyw fath o gacen siocled fresych.'

Edrychai Siôn a'i ffrindiau'n sâl a rhoi eu platiau yn ôl ar y bwrdd.

'Gyda llaw,' meddai Miss Marblen, 'ddes i o hyd i'r sychwr gwallt yma ar fy nesg.'

Neidiodd y tri i'w traed. 'Miss,' rhybuddiodd Siôn. 'Beth bynnag wnewch chi, peidiwch â gwasgu'r botwm yna!'